DEPOIS do fim

ESDRAS SAVIOLI

DEPOIS do fim

QUAL SERÁ NOSSO DESTINO?

Vida

Vida

EDITORA VIDA
Rua Conde de Sarzedas, 246 – Liberdade
CEP 01512-070 – São Paulo, SP
Tel.: 0 xx 11 2618 7000
atendimento@editoravida.com.br
www.editoravida.com.br

Editor responsável: Gisele Romão da Cruz
Editor-assistente: Amanda Santos
Preparação de texto: Josemar de Souza Pinto
Revisão de provas: Lettera Editorial
Diagramação: Claudia Fatel Lino
Capa: Arte Vida

Todas as citações bíblicas e de terceiros foram adaptadas segundo o Acordo Ortográfico da Língua Portuguesa, assinado em 1990, em vigor desde janeiro de 2009.

1. edição: jan. 2022
1ª reimp.: mar. 2022

Dados Internacionais de Catalogação na Publicação (CIP)
(Câmara Brasileira do Livro, SP, Brasil)

Savioli, Esdras

Depois do fim : qual será nosso destino? / Esdras Savioli. -- São Paulo : Editora Vida, 2021.

ISBN 978-65-5584-260-9
e-ISBN 978-65-5584-259-3

1. Cristianismo 2. Destino 3. Morte 4. Vida espiritual 5. Vida futura I. Título.

21-92935 CDD-236.21

Índices para catálogo sistemático:
1. Destino : Vida futura : Doutrina cristã 236.21
Maria Alice Ferreira - Bibliotecária - CRB-8/7964

Esta obra foi composta em *Arno Pro*
e impressa por Gráfica Exklusiva sobre papel
Pólen Soft 70 g/m² para Editora Vida.

Dedico este livro ao meu pai, Admir, aos meus irmãos Aguinaldo, Luciane, Tatiana e Gabriel, e à memória da minha querida mãe, Hilda Savioli (1942-2020).

O primeiro desafio que o Espírito Santo me fez após entregar a minha vida a Jesus Cristo foi dar um beijo de boa noite na minha mãe. Isso era algo que eu nunca havia feito e que se tornou um hábito a partir de então. Cristo me deu o privilégio de apresentá-lo à minha mãe, cuidar dela e honrá-la em seus últimos anos de vida. Tive a oportunidade de vê-la desenvolver um relacionamento autêntico com Jesus, completamente livre da religiosidade. Esse é o meu maior consolo, pois, apesar da dor e da saudade, sei que a verei novamente, é uma questão de tempo.

Agradeço à minha esposa, Flávia, por ter me dado o apoio necessário durante os anos de preparação do conteúdo deste livro. Agradeço também aos meus pastores Nilsinho e Lu, fundamentais na minha caminhada cristã, e aos colaboradores que me ajudaram na confecção final desta obra, Beatriz Coutinho, Samuel Vendramini e Érika Alves.

Sumário

BREVE PREFÁCIO SOBRE O ASSUNTO DA ETERNIDADE

PARA MIM É UM privilégio prefaciar a obra desse grande amigo com quem tenho tido o prazer de caminhar por mais de uma década. Esdras Savioli tem sido não apenas um grande mestre da Palavra, mas também um verdadeiro propagador do ministério cristão do ensino.

Não hesito em dizer que a excelência tem sido o padrão de todo o seu trabalho e com certeza esta obra trará essa marca que lhe é tão peculiar.

Seja ensinando, organizando cursos ou, agora, escrevendo um livro, podemos esperar algo feito com cuidado, capricho, perfeição. Certamente a igreja de Cristo terá a seu dispor um conteúdo de valor.

Este trabalho veio para ficar e marcar. Em meio a tantas obras que, apesar do rebuscado vocabulário teológico, fogem das doutrinas bíblicas fundamentais, este livro vai direto ao ponto. Do título à conclusão, *Depois do fim* procura responder às principais indagações que realmente importam ao indivíduo, e faz isso apelando para a revelação divina presente nas Escrituras. O que a Bíblia diz é o que importa. Conjunturas humanas não nos salvarão.

Reconhecendo a autoridade única da Bíblia para responder às questões fundamentais do futuro e da vida após a morte, esta obra é apta para guiar a mente de indagadores e de novos convertidos. Podemos dizer que muito mais do que importante, ela é essencial para conduzir as pessoas ao significado bíblico da palavra "salvação". A salvação bíblica não é uma melhoria nas condições sociais ou políticas, mas uma transformação radical do relacionamento entre o homem e Deus, uma transformação que determinará seu destino eterno.

Em meio ao "politicamente correto" que tem amordaçado a poderosa revelação do Evangelho, este livro pretende dizer o que foi dito nas Escrituras e fornecer uma compreensão direta e clara do assunto.

O homem é um ser diante da eternidade e é sobre isso que este livro fala. E é sobre isso que esta geração precisa ler e ouvir.

> "Entrem pela porta estreita, pois larga é a porta e amplo o caminho que leva à perdição, e são muitos os que entram por ela. Como é estreita a porta, e apertado o caminho que leva à vida! São poucos os que a encontram" (Mateus 7.13,14).

EGUINALDO HÉLIO DE SOUZA,
pastor, professor, jornalista e escritor

INTRODUÇÃO

DE ONDE VIEMOS? Quem somos? Por que estamos aqui? Como devemos viver? O que acontece após a morte? Dizem que essas são as perguntas mais importantes que alguém pode fazer na vida.[1] Sei que várias teorias já foram desenvolvidas para responder a cada uma delas, mas como avaliar se tais respostas estão corretas? Será que é possível conhecer a verdade sobre essas questões?

Confesso que a pergunta que mais me intrigou ao longo da vida foi a última: O que acontece após a morte? Existe um mundo espiritual? Talvez por conta de uma infância influenciada por filmes que exploravam essa realidade, sempre tive muita curiosidade (e certo medo) de como o mundo espiritual poderia afetar minha vida, tanto para o bem quanto para o mal.

Lembro-me de ter assistido a filmes como *O exorcista*, *A morte do demônio*, *A profecia* e haver pensado que, de certa forma, aquilo poderia existir. Logo após o filme, eu corria para o quarto, querendo dormir logo. O pior é que eu gostava dos filmes de terror, pois experimentava o medo apenas como um espectador. O amanhecer do dia seguinte já bastava para resolver o problema.

O fato é que, apesar da curiosidade, não me importei com o assunto durante parte da minha vida.

[1] GEISLER, Norman; TUREK, Frank. **Não tenho fé suficiente para ser ateu**. São Paulo: Vida, 2001, p. 20.

Além de nunca ter visto anjos ou demônios, a morte sempre me pareceu algo muito distante e, por causa disso, tinha poucos motivos para me preocupar com ela.

Creio que o verdadeiro interesse pelo assunto surgiu por influência do meu pai e de inúmeros livros que ele tinha sobre o tema. As histórias eram sempre curiosas. Muitas delas interligavam acontecimentos históricos com conspirações e mistérios, utilizando-se do mundo espiritual e da realidade sobrenatural como pano de fundo.

Como não ter curiosidade para ler um livro que associava a queda das torres gêmeas à bomba de Hiroshima? Ou que descrevia com detalhes todo o processo pelo qual os mortos passavam antes de estar prontos para, supostamente, retornarem à terra? Influenciado por essa cosmovisão, eu fui, ao longo dos anos, construindo minha noção sobre a vida e a morte.

Cosmovisão é o modo particular de perceber o mundo, geralmente buscando entender questões filosóficas que envolvem a existência humana, a natureza da verdade, o sentido do universo e da vida, os problemas da sociedade, a vida após a morte.

O mais interessante é que, apesar de considerar esse modo muito curioso de enxergar o mundo, eu ainda não havia atentado para pontos que, claramente, não faziam muito sentido. Se considerasse a reencarnação como verdadeira, como eu poderia viver em paz, sabendo que posso ter sido um assassino em outra vida e que talvez, em decorrência disso, teria que enfrentar uma morte cruel e violenta?

Como eu poderia olhar para um paralítico e não imaginar que ele fez algo muito errado em outra vida? E, se o fez, que tipo de correção poderia ser eficiente se nem ele sabe onde errou? Confesso que não havia percebido essas e outras incoerências, até o dia em que vi este texto na Bíblia:

E, assim como aos homens está ordenado morrerem uma só vez, vindo, depois disso, o juízo, assim também Cristo, tendo-se oferecido uma vez por todas para tirar os pecados de muitos, aparecerá segunda vez, não para tirar pecados, mas para salvar aqueles que esperam por ele (Hebreus 9.27,28, NAA).

Lembro-me de ter lido essa passagem e questionado meu pai:

— Pai, aqui está falando que o homem morre uma única vez. Está certo isso?

A resposta dele foi:

— Nem tudo é do jeito que a Bíblia diz.

Insatisfeito com a resposta, fiz a mesma pergunta à minha irmã. Ela disse:

— Sim, o que vem após a morte é a salvação ou a condenação.

Confesso que fiquei em choque e pensei: "Como minha irmã pensa diferente do meu pai?". Li a passagem novamente e procurei, sem sucesso, outra forma de interpretá-la. De acordo com a Bíblia, minha irmã tinha razão. A questão agora era: Em quem confiar? Na Bíblia ou nos livros?

Antes de explicar como decidi pela Bíblia, preciso contar como foi meu primeiro contato com ela. Até onde me lembro, foi aos 25 anos. Encontrei o Novo Testamento na gaveta de um quarto de hotel e li o primeiro versículo do Evangelho de João:

No princípio era o Verbo, e o Verbo estava com Deus, e o Verbo era Deus (João 1.1, NAA).

Assim que terminei a leitura do versículo, coloquei a Bíblia de volta na gaveta e pensei: "Que livro estranho! Não entendi nada".

Meses depois, passei a trabalhar em uma escola de teologia cristã, e, entre algumas das minhas funções, uma era editar programas de áudio. O trabalho era simples: ouvir a pregação, encontrar onde era informado o telefone de contato e substituir por outro número.

Após ouvir vários programas, que sempre terminavam com a frase "Fiquem na paz do nosso Senhor e Salvador Jesus Cristo", pensei: "Estou em 2006 depois de Cristo e não faço ideia de por que o tempo é contado a partir desse homem". Era o tipo de ignorância que não fazia mais sentido carregar.

A partir daí, comecei a questionar se, de fato, a Bíblia dizia a verdade, principalmente depois de ler frases como: "seja forte e corajoso", "não se desvie nem para a direita nem para a esquerda, para que você seja bem-sucedido por onde quer que andar" (Josué 1.6,7) e "até quando você vai ficar deitado, preguiçoso?" (Provérbios 6.9). Uau! A Bíblia não era um livro de orações ou uma desculpa para quem não quer fazer nada e espera que Deus resolva todos os seus problemas. Pelo contrário, dizia que o preguiçoso passaria fome![1]

A partir daí, comecei a olhar de forma diferente para a Bíblia. Pareceu-me um livro muito útil para aprender coisas importantes sobre a vida e, talvez, conhecer a Deus de verdade. Logo, eis a questão: Será que a Bíblia diz a verdade? Por que ela seria tão especial em relação aos outros livros existentes?

[1] Provérbios 6.10,11

De fato, eu ainda não tinha condições de chegar a essa conclusão por meio de estudos arqueológicos, históricos ou científicos. Creio que, por essa razão, Deus me proporcionou uma das experiências mais impactantes da minha vida.

Estava eu andando de bicicleta, quando pensei: "O que me garante que a Bíblia diz a verdade?". No mesmo instante deparei com um adesivo no vidro traseiro de um carro com o nome JESUS CRISTO. Confesso que, num primeiro momento, entendi como uma resposta, mas logo depois pensei: "Será que foi uma resposta? Não foi exatamente o que eu perguntei" (mal sabia que a resposta havia sido cirúrgica). O mais impressionante é que, poucos segundos depois, o mesmo carro parou no semáforo e pude ver outro adesivo no vidro lateral direito, que dizia: A BÍBLIA NÃO MENTE!

Isso foi há mais de quinze anos. Desde então, nem por um segundo duvidei da Bíblia como a perfeita Palavra de Deus. Hoje, após anos de estudo, apenas confirmei o que descobri naquele dia: a Bíblia sempre diz a verdade![1]

A razão de eu estar contando tudo isso é para que você saiba qual será a fonte de todas as informações que irá encontrar neste livro. Nada do que iremos abordar daqui por diante tem como base opiniões pessoais, experiências sobrenaturais ou qualquer outro livro que não seja, única e exclusivamente, a Bíblia Sagrada.[2]

Para quem não entenderia nenhuma argumentação lógica ou científica para explicar o sobrenatural, Deus providenciou uma forma simples e singela

[1] Salmos 119.160 • [2] 2Pedro 1.20,21

para se revelar a um coração que ansiava por achá-lo. Se você também deseja encontrá-lo e conhecê-lo mais, prossiga comigo nesta jornada, pois certamente, e de forma única, ele também se revelará a você.[1]

[1] Tiago 4.8

A ORIGEM DO MAL

1

Capítulo 1

A ORIGEM DO MAL

VAMOS COMEÇAR PELO ponto mais difícil: a existência do mal. Se Deus é bom, por que o mal existe? Qual a explicação bíblica para a existência do mal? Creio que a melhor forma de descobrirmos a origem do mal é compreendendo o que ele é.

Quando dizemos que algo é mau, está implícito que temos algo bom como referência. Afinal, se algo é mau, é mau em relação a quê? Assim como descobrimos a mentira após conhecer a verdade,[1] só descobrimos o que é mal por conhecer o bem. Da mesma forma que basta um pingo de veneno para contaminar um copo d'agua, tratando-se de questões morais, não existe meio-termo, como "em parte bom" e "em parte mau" ou "relativo". Ou é bom ou é mau.[2]

Isso significa que o bem e o mal não podem ter surgido ao mesmo tempo.[3] Afinal, algo precisa existir primeiro, para depois ser corrompido.[4] Este é um ponto muito importante: o bem já existia quando o mal surgiu. Sendo assim, o mal é a corrupção do bem.

Por nascer corrompido, podemos pensar que o ser humano é uma exceção a essa regra, mas não o é. Somos seres geracionais e por sermos descendentes de Adão, que se corrompeu após ser criado, herdamos a corrupção dele. Quando Deus criou Adão, estava criando a humanidade.

[1] João 8.32, Salmos 52.3 • [2] Gálatas 5.9, Mateus 5.37 • [3] Tiago 3.11, Gênesis 1.4, Gênesis 3.4,5 • [4] 1Coríntios 15.33, Salmos 14.3

Vou pontuar aqui dois atributos de Deus ensinados pela Bíblia: sua eternidade e sua imutabilidade. Deus sempre existiu[1] e nunca mudou, nem mudará.[2] Com base nesses dois atributos e no fato de o mal ter surgido depois do bem, chegamos a uma conclusão maravilhosa: Deus é necessariamente bom,[3] e o mal não pode fazer parte de sua natureza.

Deus criou todas as coisas, inclusive o tempo. Sendo assim, ele não pode ter tido um começo, pois para haver "começo" é preciso haver tempo. Um Deus que transcende ao tempo é obrigatoriamente um Deus eterno, que não teve início e jamais terá fim.

Além disso, descobrimos que o mal somente passou a ser uma possibilidade quando Deus criou outros seres.[4] O mal é uma consequência natural da criação de seres pessoais, dotados de intelecto, vontades e emoções próprias,[5] e que poderiam optar por viver sem Deus.

Vou explicar de maneira mais simples, tendo como base outro atributo exclusivo de Deus: a bondade. Somente Deus é bom. Todo ser criado será sempre inferior ao seu criador.[6] Inferior em todos os sentidos, inclusive no aspecto moral.[7]

Isso nos revela que, se somente Deus é bom, seres criados só podem ser considerados bons se permanecerem em Deus;[8] do contrário, serão obrigatoriamente maus.[9] Os anjos, e até mesmo Adão, foram criados por Deus já desfrutando de comunhão com ele,[10] conhecendo o bem de Deus, não um bem próprio. Quando a criação acreditou que poderia ser boa sem Deus e optou por isso por meio de ações concretas, o mal surgiu,[11] e o pecado entrou no mundo.

Permanecer em Deus é permanecer em obediência a seus mandamentos, sujeitando-se à sua vontade e nutrindo um relacionamento pessoal e íntimo com ele, que é a única fonte de toda bondade.

O propósito de Deus, quando criou o homem, era que este o conhecesse plenamente e não experimentasse

[1] Salmos 90.2 • [2] Malaquias 3.6 • [3] Marcos 10.18 • [4] Gênesis 2.7-9 • [5] Ezequiel 28.17, Gênesis 3.6 • [6] Romanos 9.20 • [7] Jó 4.17, Isaías 55.8,9 • [8] 1João 2.4 • [9] Salmos 14.1 • [10] Salmos 148.1,2, Gênesis 3.8 • [11] Ezequiel 28.15

o mal.[1] A ordem de Deus para que Adão não comesse da árvore do conhecimento do bem e do mal fazia parte desse processo.[2] Ninguém seria tentado a comer de uma árvore para ter conhecimento do mal. A questão principal é que comer o fruto dessa árvore só seria tentador ao homem se este duvidasse de que já conhecia o bem, por meio da comunhão com Deus.[3]

Adão decidiu viver independente de Deus,[4] decisão que separou definitivamente o homem, agora mau, do Deus bom.[5] Contudo, não foi diretamente por meio do homem que o mal deixou de ser uma possibilidade e se tornou uma realidade; foi por meio de um anjo. Um único anjo que, agora caído, é conhecido como Diabo.

Imagine um leão dormindo em sua jaula; você se sentiria tentado a entrar nessa jaula? Provavelmente não. Você só teria a perder. Veja que o mal, por si só, não é tentador. No entanto, digamos que houvesse uma grande recompensa em dinheiro para quem entrasse. Neste caso, quando há algo "bom" em jogo, a história muda.

A lógica é simples: toda mudança acontece ao longo do tempo; Deus está fora do tempo; logo, ele não pode mudar. Qualquer tipo de mudança na essência de Deus, mesmo que fosse para melhor, é algo impossível. Afinal, Deus é a perfeição absoluta.

[1] Jeremias 29.11 • [2] Gênesis 2.16,17 • [3] Gênesis 3.6 • [4] Romanos 10.3, Isaías 53.6 • [5] Romanos 5.12, Isaías 59.2

2

QUEM É O DIABO?

Capítulo 2

QUEM É O DIABO?

MUITOS QUESTIONAM a existência do Diabo; consideram-no apenas uma personificação do mal, não um ser real. No entanto, a Bíblia não apenas revela a existência do Diabo, como também o apresenta como um ser espiritual, pessoal, extremamente poderoso e totalmente maligno.

Jesus se refere ao Diabo como inimigo de Deus,[1] homicida e pai da mentira.[2] Ele também é chamado de Satanás,[3] que significa adversário e opositor,[4] além de príncipe dos demônios[5] e vários outros títulos que revelam sua natureza.[6] A própria palavra "Diabo" significa caluniador, difamador e acusador.

Satanás (ou Satã), Diabo, Belzebu e Demônio são seus títulos mais frequentes. Mas a Bíblia também o chama de "Abadom" (Apocalipse 9.11), cujo significado é destruidor, "grande dragão", "antiga serpente" (Apocalipse 12.9), "pai da mentira" (João 8.44), "príncipe das potestades do ar" (Efésios 2.2), "espírito imundo" (Marcos 1.26), e "homicida" (João 8.44).

Analisando apenas os nomes e seus significados, já podemos ter uma ideia do perigo que esse ser oferece. Contudo, algo que nos permite uma compreensão ainda maior sobre suas intenções[7] são as informações que a Bíblia traz a respeito de sua origem, sua queda e sua ação contra o ser humano.

[1] Mateus 13.39 • [2] João 8.44 • [3] Marcos 3.22,23 • [4] Zacarias 3.1 • [5] Lucas 11.15, Efésios 2.2 • [6] Apocalipse 12.9,10 • [7] 2Coríntios 2.11

O nome "Lúcifer" se popularizou por conta da tradução da palavra hebraica *heylel* (aquele que brilha) para a expressão *lux feros* (portador da luz), em latim. Uma tradução da Vulgata (versão latina da Bíblia hebraica) para o inglês, a saber, a versão King James, transformou a expressão *lux feros* em nome próprio, embora nunca tenha sido um nome dado pelas Escrituras ao Diabo. Inclusive, chamá-lo de Lúcifer (portador de luz) após sua rebelião e queda é inconsistente com o seu atual estado, além de carecer de fundamento bíblico.

A origem do Diabo

A pergunta é: Como surgiu o Diabo? E por que Deus criaria um ser tão mau e perverso?

A Bíblia ensina que Deus é o criador de todas as coisas,[1] nos céus e na terra, tanto as visíveis quanto as invisíveis,[2] mas também ensina que tudo o que Deus criou era bom.[3] Por essa razão, algo certamente aconteceu para que esse ser criado por Deus se tornasse o Diabo, o acusador e inimigo de Deus.

Para entender o que aconteceu, podemos tomar Isaías 14 e Ezequiel 28 como base. Apesar de serem profecias inicialmente dirigidas aos reis da Babilônia[4] e de Tiro,[5] tais passagens tomam proporções que vão muito além do que poderia ser declarado a respeito de qualquer ser humano. Tanto o texto em si quanto o contexto bíblico[6] mostram que se trata de uma referência à origem de Satanás.

Ezequiel fala de um ser criado de forma especial,[7] chamado de "estrela da manhã"[8] em Isaías, que, por causa de um erro na tradução para o latim, ficou conhecido como Lúcifer. Ele é descrito como modelo de perfeição, cheio de sabedoria e perfeita beleza.[9] Criado por Deus como um querubim,[10] um anjo de alta hierarquia. A Bíblia diz que, desde o dia em que foi criado, ele permaneceu inculpável em seus caminhos, até que algo aconteceu.[11]

Querubins são anjos guardiões (Gênesis 3.24). Dois querubins foram esculpidos na tampa da arca da aliança que representava a presença de Deus (Êxodo 25.17-20).

[1] João 1.3 • [2] Colossenses 1.16 • [3] Gênesis 1.31 • [4] Isaías 14.4 • [5] Ezequiel 28.12 • [6] 1Timóteo 3.6, Lucas 10.18 • [7] Ezequiel 28.13 • [8] Isaías 14.12 • [9] Ezequiel 28.12 • [10] Ezequiel 28.14 • [11] Ezequiel 28.15

A queda de Satanás

O texto de Ezequiel diz que, em determinado momento, se achou injustiça, perversidade e maldade em Lúcifer[1] e explica que, por causa da sua beleza e do seu esplendor, ele se corrompeu e se tornou orgulhoso.[2] Isaías diz que o desejo do seu coração era estar acima de todos os anjos e ser como Deus.[3] Na verdade, a soberba de Lúcifer se tornou tão absurda que ele chegou a ponto de achar que seria possível tomar o lugar de Deus e usurpar a glória que pertence unicamente ao Criador do Universo.[4]

Por conta dessa rebelião, Lúcifer passou a ser Satanás, adversário de Deus. Chegou até, ao que tudo indica, durante certo período, a convencer outros anjos[5] a também se rebelarem contra Deus.

A obrigação moral básica de um ser criado é lembrar que, independentemente de quão elevada seja sua posição, sua natureza sempre será a de um ser criado e, por isso, sujeito ao Criador.

Mas como isso é possível? Como o mal pode ter surgido no coração de Lúcifer e também ter corrompido outros anjos, se são seres criados por um Deus perfeitamente bom? Creio que a resposta dada no primeiro capítulo explica perfeitamente essa questão. Você se lembra? Se somente Deus é bom, seres criados só podem ser considerados bons se permanecerem em Deus; do contrário, serão obrigatoriamente maus. Guarde bem esta frase: O mal existe porque só Deus é bom!

Isso demonstra como a obra de Deus é extraordinária; afinal, os anjos foram criados com o poder de tomar decisões morais e reais, assim como nós.[6] Deus dotou sua criação de uma natureza tão livre que permitiu até

[1] Ezequiel 28.16,18 • [2] Ezequiel 28.17 • [3] Isaías 14.13,14 • [4] Isaías 42.8, Isaías 46.9, Mateus 4.10 • [5] Mateus 25.41 • [6] Deuteronômio 30.19

mesmo uma rebelião.[1] Contudo, uma vez que a decisão por independência foi tomada, Satanás jamais poderia permanecer junto a um Deus perfeitamente bom,[2] motivo pelo qual ele foi expulso dos céus. Esse evento é descrito em pelo menos três passagens bíblicas.[3]

O dragão é expulso do céu (Apocalipse 12.9) e leva consigo um terço dos anjos (Apocalipse 12.7,9). Em Apocalipse 12.4 (ver também Daniel 8.10) lê-se o termo "estrelas". Trata-se, provavelmente, de uma referência à queda de Satanás (Isaías 14.12-15), quando ele e suas hostes revoltaram-se contra Deus. Todavia, a expulsão descrita em Apocalipse 12.7-10 ainda está para ocorrer. (GRUDEM, Wayne. **Teologia sistemática**. São Paulo: Vida Nova, 1999. p. 137.)

O Diabo e a queda do homem

Após ter sido expulso dos céus, Satanás foi lançado à terra, local onde, em determinado momento da história, Deus criou outro ser, que não somente o glorificaria, como também seria a própria imagem da sua glória.[4] Deus criou o homem à sua imagem e semelhança,[5] razão mais do que suficiente para que Satanás odeie o ser humano e faça de tudo para destruí-lo.[6]

A CRIAÇÃO

Muitos pensam que para crer na Bíblia é preciso aceitar que o mundo foi criado em seis dias consecutivos de 24 horas, cerca de 10 mil anos atrás, e que tudo o que a ciência moderna diz sobre essa questão precisa ser completamente rejeitado, porém esse é um pensamento equivocado. Pelo estilo literário que Gênesis 1 apresenta, a interpretação literal acaba não sendo a única opção. Dentro do cristianismo, por exemplo, existem pelo menos sete visões em relação ao relato da criação.

Para crer na Bíblia não é necessário abraçar uma única interpretação sobre a criação ou mesmo negar a interpretação literal. Crer na Bíblia não exige que você se comprometa a decidir por uma dessas visões. Sabemos que Adão e Eva foram seres reais e históricos dos quais descende toda a raça humana, mas não temos como saber o momento exato da criação ou da rebelião dos anjos, assim como todos os detalhes de como foi o processo de criação, incluindo a existência ou não de eras glaciais, dinossauros ou até mesmo do Big Bang. O mais importante é saber que absolutamente tudo o que existe foi criado por um único Deus.

[1] Judas 1.6 • [2] Tiago 1.13,17, Salmos 45.6,7, 2Coríntios 6.14,15 • [3] Isaías 14.12, Ezequiel 28.17, Lucas 10.18 • [4] 1Coríntios 11.7 • [5] Gênesis 1.26,27 • [6] Jó 1.9-11

O primeiro passo que o Diabo deu nessa direção foi logo no início, no Éden, onde Deus colocou o homem e o autorizou a se alimentar livremente de todas as árvores, menos de uma, aquela que lhe causaria a morte.[1] Foi dessa árvore, por influência do Diabo, que o homem comeu.

Parece absurda a estupidez do ser humano: desobedecer a única proibição feita por Deus e que visava ao seu próprio bem. Mas é interessante observar como isso aconteceu e as motivações por trás da queda do homem.

Embora a Bíblia não fale de maneira específica o que exatamente seria essa "imagem e semelhança", ao que tudo indica, trata-se da nossa essência espiritual e da nossa pessoalidade, ou seja, seres dotados de emoções, vontades e intelecto.

A tentação

Quando o Diabo abordou Eva, ele questionou: "Foi isto mesmo que Deus disse: 'Não comam de nenhum fruto das árvores do jardim?' " (Gênesis 3.1). Nesse momento, ele sondava Eva para compreender qual era o entendimento dela sobre a proibição. Quando Eva acrescenta algo à ordem de Deus — "nem toquem nele" (v. 3) —, o Diabo percebe uma vulnerabilidade e acusa Deus de mentiroso.

Ele continuou: "Certamente não morrerão!" (v. 4) e acrescentou: "Deus sabe que, no dia em que dele comerem, seus olhos se abrirão, e vocês, como Deus, serão conhecedores do bem e do mal" (v. 5). O Diabo não só disse que eles não morreriam, como também disse que, na verdade, eles seriam como Deus. Ou seja, com o mesmo pecado com que foi seduzido, ele tentou o homem, que também pecou.

[1] Gênesis 2.15-17

O pecado e as suas consequências

Quando Eva viu que o fruto parecia agradável ao paladar, atraente aos olhos e desejável para dar entendimento, comeu.[1] Afinal, se ela seria como Deus, já não haveria mais motivo para dar satisfação ao seu Criador. Eva deu o fruto a Adão, que também comeu. O homem preferiu acreditar na promessa do Diabo a confiar em Deus.[2]

O interessante é que, num primeiro momento, parecia até que o Diabo tinha razão; afinal, eles comeram da árvore e não morreram.[3] Contudo, o pecado trouxe a morte espiritual,[4] a separação entre o homem e Deus[5] e, como consequência futura, a morte física[6] — é o mesmo que acontece quando retiramos uma folha da árvore, que deixa de receber a seiva e, com o tempo, seca e morre.

Com o pecado, o homem não só morreu espiritualmente[7] e foi expulso da presença de Deus,[8] como também transferiu o direito legal de posse da terra ao Diabo.[9]

A partir da queda, toda a descendência de Adão, que inclui eu e você, nasceu separada de Deus,[10] à semelhança de Adão.[11] Essa é a nossa realidade. Jamais poderíamos ter nascido em comunhão com Deus sendo descendentes de Adão. Sim, nascemos maus e pecadores[12] em um mundo governado pelo Diabo.[13]

Um recém-nascido nunca cometeu pecado, mas ele nasce pecador, pela essência já corrompida. Quando Davi diz: "em pecado me concebeu minha mãe" (Salmos 51.5), por exemplo, ele não está se referindo a adultério, mas à natureza pecaminosa.

Não é à toa que a Bíblia ensina que é preciso nascer de novo.[14] Deus nos deu essa oportunidade enviando

[1] Gênesis 3.6 • [2] Romanos 6.16 • [3] Gênesis 3.7 • [4] Romanos 6.23a • [5] Isaías 59.2 • [6] Gênesis 3.19 • [7] Efésios 2.5 • [8] Gênesis 3.23 • [9] Gênesis 1.28, Lucas 4.5,6 • [10] Romanos 3.23 [11] Gênesis 5.3, 1Coríntios 15.49 [12] Gênesis 8.21 [13] 1João 5.19, João 12.31 [14] João 3.3

seu Filho, Jesus, que, sendo bom, morreu por nós, que somos maus.[1] Entretanto, esse é um assunto que abordaremos com detalhes em breve. Fato é que todo mal que habita em nós é fruto da desobediência de um único homem, mas de um homem que nos representava.[2]

A culpa foi de Adão, de Eva e do Diabo, mas hoje ela também é minha e sua.[3] Somos tentados, e pecamos por causa do nosso próprio mau desejo.[4] Mesmo assim, não podemos ignorar o fato de que o Diabo também colabora, e muito, para que o pecado aconteça.[5] E, para entender como ele faz isso, é fundamental conhecer o que a Bíblia diz sobre a situação atual do Diabo: onde ele se encontra, o que ele sabe e o que ele pode fazer.

A ação do Diabo

O entendimento popular é de que o Diabo se encontra no inferno, rodeado por demônios. Sim, a Bíblia ensina que o destino do Diabo é o castigo eterno no inferno,[6] porém deixa claro que ele não está lá agora.[7] Na verdade, ele circula pela atmosfera[8] e atua nas "regiões celestiais" (Efésios 6.12), sendo chamado de "príncipe do poder do ar" (2.1,2). Contudo, isso não significa que ele seja onipresente. Não, ele não é. Ele não pode estar em mais de um lugar ao mesmo tempo.

O Diabo também não é um ser onisciente; ele não sabe todas as coisas.[9] Entretanto, trata-se de um ser milenar, que conhece a Bíblia[10] e acompanha a história da

[1] 1Pedro 3.18 • [2] Romanos 5.12, 1Coríntios 15.21,22 • [3] Romanos 3.12, Eclesiastes 7.20 • [4] Tiago 1.14,15, Marcos 7.21,22 • [5] Efésios 6.11 • [6] Mateus 25.41 • [7] Jó 1.7, Mateus 4.1 • [8] Efésios 2.1,2 • [9] Provérbios 21.30 • [10] Mateus 4.6

humanidade desde o início.[1] O Diabo raciocina, pensa, age e aprende novas formas de deturpar a verdade[2] a fim de enganar e manipular o homem.[3] E, mesmo não tendo acesso aos nossos pensamentos,[4] por meio do que fazemos e do que falamos,[5] ele conhece nossas inclinações, fraquezas e desejos.

Algo que nos ajuda a compreender melhor essa questão é imaginar uma pessoa que manifesta abertamente sua intenção de matar alguém, por mais terrível que isso seja, tal pessoa ainda não pode ser presa por assassinato.

Apesar de o Diabo ser muito poderoso,[6] ele não é onipotente. Existem coisas que ele não pode fazer.[7] Aliás, ele só pode agir dentro dos limites estabelecidos por Deus;[8] e a permissão que Deus concede ao Diabo envolve questões complexas, que geram certos questionamentos. Entre eles, o principal é: Por que Deus ainda permite que o Diabo continue praticando o mal no mundo?

A resposta não é tão simples, pois envolve a soberania, a justiça, a eternidade e a onisciência de Deus.[9] Neste momento, o Diabo está colocando em prática toda a maldade que, antes da queda, era apenas uma intenção. Deus já julgou e condenou o Diabo[10] não pela intenção, mas pelo que ele fez.[11] Para nós, que estamos limitados pelo tempo, o Diabo ainda está fazendo,[12] mas, para Deus, ele já fez.[13] Para nós, será; mas, para Deus, é.[14]

Deus é um ser eterno, que criou o tempo e permanece acima dele, percebendo toda a existência, seja passada, presente ou futura, como algo "presente" em sua consciência. Algo que, naturalmente, teremos muita dificuldade em compreender, pois se trata de uma espécie de existência diferente da nossa.

O Diabo e os demônios

Se o Diabo não é onipresente, nem onisciente, nem onipotente, como ele pode conhecer detalhes da

[1] 1João 3.8 • [2] 2Coríntios 11.3 • [3] 1Timóteo 3.7, Efésios 6.11 • [4] 1Coríntios 2.11 • [5] 1Pedro 5.8 • [6] Judas 1.9 • [7] Tiago 4.7 • [8] Lucas 22.31, Jó 2.6 • [9] Deuteronômio 10.17, Salmos 90.2 • [10] João 16.11 • [11] Hebreus 4.13 • [12] Mateus 8.29 • [13] Apocalipse 20.10 • [14] Êxodo 3.14

vida de cada ser humano que vive na terra? A resposta está na existência dos demônios. Ao que tudo indica, os anjos que caíram com Satanás agora são demônios que atuam sob seu governo.[1] Cabe aqui ressaltar que, assim como no caso dos anjos, também existe uma hierarquia entre os demônios, alguns mais poderosos e outros menos poderosos.[2]

A verdade é que os demônios são tão numerosos que multiplicam a presença do Diabo, dando a impressão de este ser praticamente onipresente. Dessa forma, tanto o conhecimento que ele tem a nosso respeito quanto sua capacidade de agir contra a nossa vida também se multiplica.[3]

Já a forma de atuação dos demônios é a mais variada possível: podem tanto trabalhar na base da influência, por meio de pequenas sugestões,[4] como até mesmo possuir o corpo de uma pessoa,[5] causar e curar enfermidades para produzir o engano,[6] induzir comportamentos,[7] oprimir[8] e até mesmo matar uma pessoa.[9] Tudo isso, preferencialmente de maneira oculta, para que nem mesmo a pessoa afetada saiba que está agindo sob a influência de um ou mais demônios.

Para cada situação, o Diabo tem uma permissão específica para agir.[10] Contudo, sua principal estratégia sempre será a de permanecer oculto[11] e induzir o homem ao pecado.[12] A questão é: O que o Diabo ganha com tudo isso?

[1] Mateus 12.24-26, Apocalipse 12.7 • [2] Colossenses 2.15, Mateus 17.21, Mateus 12.43-45 • [3] Efésios 6.12 • [4] 1Crônicas 21.1 • [5] Lucas 22.3, Marcos 1.23-26, Lucas 9.38-42 • [6] Lucas 13.11, 2Tessalonicenses 2.9 • [7] Atos 5.3, Mateus 16.23 • [8] Atos 10.38 • [9] Marcos 9.22 • [10] Efésios 4.26,27 • [11] 2Coríntios 11.14,15 • [12] Mateus 4.9

O que o Diabo quer?

Para responder a essa pergunta, precisamos conhecer o que a Bíblia ensina sobre a nossa essência e o nosso destino após a morte. Ela diz que somos seres espirituais[1] e que, por causa disso, não deixaremos de existir após nossa morte física.[2] Sendo assim, temos apenas duas opções: estar para sempre com Deus ou sem ele.[3]

Diante disso, é importante saber que o nosso destino eterno é definido antes da nossa morte física. Após a morte, não haverá mais como reverter essa condição.[4] De posse dessa informação, podemos compreender o objetivo do Diabo.

Primeiro, é importante lembrar que o Diabo é homicida,[5] odeia o ser humano e tem prazer em nos causar sofrimento.[6] Segundo, ele já está condenado e lhe resta pouco tempo.[7] Sendo assim, todo o seu esforço concentra-se em levar o homem à mesma condenação: a separação definitiva de Deus.[8]

A principal forma de atuação e influência do Diabo sempre foi, e sempre será, por meio do engano,[9] fazer que o homem continue pecando contra Deus.[10] Não existe nenhum outro ser no Universo que supere o Diabo na arte de convencer as pessoas a acreditarem na mentira[11] e desprezarem o conhecimento da verdade, ou seja, desprezarem o conhecimento bíblico.[12]

A estratégia do Diabo

Uma vez que a Bíblia é a completa Palavra de Deus e fonte de toda a verdade,[13] ela se torna o único livro

[1] 1Coríntios 2.11, 1Tessalonicenses 5.23, Romanos 8.16 • [2] João 5.28,29 • [3] Mateus 25.31-34,41,46 • [4] Hebreus 9.27 • [5] João 8.44 • [6] Lucas 13.16 • [7] Apocalipse 12.12 • [8] Apocalipse 20.10 • [9] Apocalipse 12.9 • [10] Hebreus 3.13, 2Timóteo 2.26 • [11] 2Tessalonicenses 2.8-12 • [12] 2Timóteo 4.3,4, Mateus 22.29 • [13] 2Timóteo 3.16,17

no mundo capaz de revelar de forma segura todas as mentiras do Diabo.[1]

Por essa razão, sua estratégia é fazer que as pessoas não leiam a Bíblia.[2] Caso leiam, é fazer que não entendam.[3] Caso entendam, é fazer que não creiam.[4] Caso creiam, seu trabalho é fazer que não coloquem em prática.[5]

Para cada um desses estágios, o Diabo utilizará uma mentira diferente.[6] Existem mentiras que apontam para uma direção totalmente oposta à verdade,[7] negando até mesmo a própria existência do Diabo; no entanto, existem mentiras muito próximas da verdade, sendo até mais perigosas.[8]

Muitas vezes, o Diabo nega uma mentira com outra, para que essa segunda mentira pareça verdade. Para promover o engano, ele apresenta algo ruim para ser comparado com algo pior, fazendo que o ruim pareça bom.[9] Assim, o homem pensa estar no caminho certo, quando, na verdade, permanece no caminho errado.[10]

Imagine um vendedor mal intencionado que apresenta dois relógios, um com qualidade claramente inferior ao outro. Ele alega que o primeiro é uma réplica, enquanto o segundo é original. Você compra o segundo por um bom preço achando que fez um ótimo negócio, quando na verdade acabou de adquirir uma réplica melhorada.

SEITAS E HERESIAS

Tais mentiras se apresentam, principalmente, em forma de falsas doutrinas religiosas (heresias), que afastam a humanidade do verdadeiro conhecimento de Deus. O método mais eficiente para se identificar uma seita (grupo religioso ou filosófico que ensina heresias) é conhecer os quatro caminhos seguidos por elas: adição, subtração, multiplicação e divisão. Adição, quando o grupo adiciona algo à Bíblia. Sua fonte de autoridade não leva em consideração somente a Bíblia. Subtração, quando o grupo subtrai algo da pessoa de Jesus, características essenciais de sua natureza, como sua humanidade ou divindade. Multiplicação, quando o grupo afirma que crer em Jesus é importante, mas não é tudo. Tais grupos multiplicam as formas pelas quais as pessoas podem ser salvas. E divisão, quando o grupo divide o mérito da salvação de Deus entre Jesus e a sua organização religiosa.

[1] João 8.32 • [2] Salmos 119.160 • [3] João 5.39,40 • [4] João 3.36 • [5] Tiago 2.26, Lucas 6.49 • [6] Lucas 8.11-14 • [7] Gálatas 1.6-9, Atos 16.17,18 • [8] Judas 1.4 • [9] Mateus 7.15, Mateus 24.24, Isaías 5.20 • [10] Provérbios 16.25

Lembre-se: a ação do Diabo é por meio da mentira.[1] Ele mente sobre a possibilidade de arrependimento que ele não tem, mas que nós temos.[2] Ele mente sobre a salvação pela fé,[3] mente sobre o perdão de Deus,[4] sobre a ressurreição dos mortos,[5] sobre o juízo de Deus,[6] sobre a vida eterna.[7] Ele mente sobre tudo![8]

Os anjos que se rebelaram contra Deus sabiam exatamente o que estavam fazendo, pois tinham livre acesso a ele. Por essa razão, a decisão dos anjos foi definitiva. Não há nenhuma possibilidade de novas rebeliões por parte dos anjos que permaneceram em Deus, assim como não haverá arrependimento por parte dos anjos caídos. Já o ser humano foi enganado pelo Diabo sem ter o conhecimento que os anjos tinham e, por isso, por meio de Cristo, o homem pode chegar ao arrependimento. Contudo, vale ressaltar que, apesar de a Bíblia deixar claro que o Diabo não tem arrependimento, ela não dá maiores detalhes do processo de condenação ou redenção dos anjos.

Não é aparecendo com chifre, cauda e tridente que o Diabo promove o engano;[9] afinal, quem adora uma imagem do demônio sabe muito bem o que está fazendo. No entanto, quem se prostra diante da imagem de um ser celestial, este sim, por meio do engano, está adorando o Diabo.[10]

Por causa do pecado, nossa condição natural já é de condenação.[11] O trabalho do Diabo é apenas nos manter em uma condição em que já nos encontramos.[12] O que ele quer é nos manter no pecado[13] e esconder de nós o amor de Deus[14] e a salvação que há em Jesus Cristo.[15] No entanto, aquilo que o Diabo procura ocultar, Deus, em sua infinita sabedoria, já nos revelou por meio da Bíblia.[16]

Aquele que é absolutamente justo e perfeito em tudo o que faz[17] já julgou e condenou o Diabo,[18] mas nos deu a possibilidade de reconciliação[19] pela fé em Jesus Cristo.[20] Ele demonstrou todo o seu amor e poder[21] mediante a morte de Jesus em nosso lugar[22] e sua

[1] João 8.44 • [2] Atos 3.19 • [3] Efésios 2.8 [4] Efésios 4.32 • [5] 1Coríntios 15.12-17 • [6] Mateus 25.46 • [7] João 6.40 • [8] 1João 2.21,22 • [9] 2Coríntios 11.14 • [10] Apocalipse 9.20, 1Coríntios 10.19-21 • [11] João 3.18 • [12] Marcos 16.16, João 3.19 • [13] João 9.39-41 • [14] 1João 4.16 • [15] Atos 4.12, Hebreus 2.14,15 • [16] 1João 5.11, João 14.6, Deuteronômio 29.29 • [17] Salmos 92.15 • [18] Romanos 16.20 • [19] Romanos 5.10,11 • [20] Atos 26.18, Gálatas 3.26,27 • [21] João 3.16,17, 1Coríntios 6.14 • [22] Romanos 5.8

ressurreição dentre os mortos.[1] Somente ele pode nos livrar das garras do Diabo[2] e nos trazer a salvação.[3]

Contudo, quando falamos em salvação, fica a pergunta: Ser salvo exatamente do quê? É nesse momento que precisamos conversar sobre a revelação mais dura das Escrituras: a existência do inferno.

A idolatria não está restrita à adoração de imagens. Qualquer coisa ou pessoa que ocupe o lugar de Deus em nossa vida — seja dinheiro, fama, esposa, marido, filhos ou nós mesmos — é idolatria.

[1] Romanos 10.9 • [2] 2Tessalonicenses 3.3, 1João 5.18 • [3] Romanos 8.1,2

3

O INFERNO EXISTE?

Capítulo 3

O INFERNO EXISTE?

TRATANDO-SE DE UM assunto como este, que envolve o destino final de muitas pessoas, não podemos errar. Como eu disse anteriormente, aqui não cabe nenhuma explicação que seja fruto de opinião pessoal ou tradição religiosa, muito menos tomar como base experiências sobrenaturais como sonhos ou supostas "visitas" ao inferno. Seguir por esse caminho é extremamente perigoso. A Bíblia deve ser a nossa fonte, e não podemos ir além do que está escrito.[1] Temos que separar aquilo em que queremos acreditar daquilo que a Bíblia verdadeiramente ensina.

No Antigo Testamento, fica muito claro que haverá salvação e também condenação,[2] mas não se fala especificamente sobre o inferno. O termo utilizado é *sheol,* palavra hebraica que, dependendo do contexto em que é utilizada, pode significar "morte", "sepultura", "abismo" ou simplesmente "destino dos mortos". Portanto, *sheol* não se refere ao inferno.

Já no Novo Testamento, temos a palavra grega *hades,* que é equivalente a *sheol,* e significa "mundo

[1] 1Coríntios 4.6 • [2] Daniel 12.2

dos mortos". Seria o local onde os mortos aguardam pelo julgamento e, apesar de algumas versões bíblicas traduzirem *hades* como "inferno", trata-se de uma correspondência indevida.[1]

Isso não quer dizer que a Bíblia não fale sobre o inferno. Aliás, quem mais falou sobre o inferno foi o próprio Jesus.[2] As palavras utilizadas pela Bíblia para se referir ao inferno propriamente dito são *geena* e "lago de fogo". Alguns argumentam que *geena* não é inferno, pois originariamente tratava-se de um lugar onde se queimava lixo fora de Jerusalém, mas isso não desqualifica o sentido espiritual de *geena*; afinal, Jesus sempre utilizou algo do cotidiano para ilustrar uma verdade espiritual.[3] Nesse caso, ele estava claramente se referindo ao destino final dos ímpios de todas as épocas, inclusive da nossa.

Em suma, quando a Bíblia se utiliza dos termos *sheol* ou *hades*, não está falando sobre o inferno, mas, quando se utiliza das palavras *geena* ou "lago de fogo", aí sim se refere ao lugar de punição após a morte. O inferno existe!

Como será o inferno?

Ao contrário do que muitos pensam, a Bíblia não diz que o inferno é um lugar onde o Diabo reina e os demônios torturam pessoas; não diz que é um local onde os pecadores se divertem; não diz que o inferno está localizado no centro da terra. Deixa também claro que ninguém está no inferno neste momento, nem o Diabo.[4]

[1] Lucas 16.22,23 • [2] Mateus 23.33, Mateus 5.30 • [3] Mateus 13.34,35, Lucas 12.5
[4] Apocalipse 19.20, Apocalipse 20.10,14,15

A Bíblia ensina que os ímpios ressuscitarão no juízo final para serem julgados e condenados.[1] Só então, de corpo e alma, serão lançados no inferno.[2] Jesus descreveu o inferno como um lugar de escuridão, tormento, tristeza, vergonha e revolta. As palavras que Jesus utilizou para ilustrar esse lugar foram: fogo, trevas, choro, vermes e ranger de dentes.[3]

Que o inferno é um lugar terrível, não há dúvida. Podemos pensar na pior dor que já sentimos na vida, seja uma dor física (no corpo), seja emocional (na alma). Tais dores não podem ser comparadas com o sofrimento que haverá no inferno. Trata-se de algo muito mais intenso e por muito, muito mais tempo.

Por pior que sejam as dores que enfrentamos aqui na terra, com toda certeza, a dor de viver sem Deus irá superar todas elas. Isso provém do fato de vivermos em um mundo que, apesar de ser governado pelo Diabo, é alcançado pela graça de Deus, que recai sobre justos e injustos.

Os condenados deixarão de existir?

Alguns entendem que o inferno é um local de extinção eterna, não de punição eterna. Para defender essa ideia, são citados alguns textos do Antigo Testamento, como: "os maus serão eliminados", "tu destróis todos os infiéis", "os ímpios perecerão" (Salmos 37.9; 73.27; 37.20). No entanto, o contexto dessas passagens não parece indicar que se trata de uma extinção eterna, mas, sim, uma referência à existência terrena.

Além disso, a palavra hebraica *abad*, traduzida por "perecer", e usada no contexto da destruição dos ímpios, também é utilizada para falar sobre a morte do justo,[4] porém sabemos que o justo viverá para sempre. Já no Novo Testamento, uma das passagens utilizadas

[1] Apocalipse 20.12,13 • [2] Mateus 13.42 • [3] Mateus 8.12, Mateus 13.49,50, Mateus 22.13, Mateus 25.30, Marcos 9.43,44, Lucas 13.28 • [4] Miqueias 7.2, Isaías 57.1

para defender essa aniquilação do ímpio é Mateus 10.28, onde Jesus diz:

> *Não temais os que matam o corpo, e não podem matar a alma; temei, antes, aquele que pode fazer perecer* [apollumi] *no inferno* [geena] *tanto a alma como o corpo* (ARA).

A argumentação é a de que "fazer perecer" ou "destruir" seria o mesmo que "aniquilar" ou "deixar de existir". Mas o problema é que nem sempre algo que é destruído deixa de existir. Podemos usar como exemplo um carro que é destruído. O carro não desaparece; apenas deixa de servir para o propósito para o qual foi criado. É o que parece ser a ideia de 2Tessalonicenses 1.9, outro versículo que também é utilizado de maneira equivocada para defender a ideia da aniquilação:

> *Eles sofrerão a pena de destruição* [olethros] *eterna* [aionios], *a separação* [apo] *da presença do Senhor e da majestade do seu poder* (NVI).

Se utilizarmos o mesmo raciocínio e entendermos que "destruir" é "deixar de existir", não haveria a necessidade de falar em estar "fora" ou "separado" da presença do Senhor. Algo que é separado não deixa de existir; é apenas separado.

Além desses dois versículos, alguns afirmam que a expressão "segunda morte", que aparece três vezes no livro de Apocalipse,[1] também se refere à aniquilação do homem no lago de fogo. No entanto, a palavra

[1] Apocalipse 2.11, Apocalipse 20.14, Apocalipse 21.8

"morte", no Novo Testamento, é frequentemente utilizada para se referir ao estado do homem em relação à separação de Deus, isto é, à morte espiritual, não à morte física literal.[1]

Outro agravante é que no contexto em que a Bíblia usa o termo "segunda morte" também aparecem frases como "para todo o sempre" e "dia e noite".[2] Em todos esses casos, tudo indica se tratar de uma separação definitiva de Deus, não uma aniquilação completa. Por isso, para afirmar que "destruição" ou "segunda morte" significa dizer que o homem será aniquilado e deixará de existir, é preciso forçar demais o texto e ser tendencioso na interpretação.

O sofrimento no inferno será eterno?

Vejamos com atenção o que Jesus disse:

> *E irão estes* [os ímpios] *para o tormento eterno* [kolasis aionios], *mas os justos, para a vida eterna* [zoe aionios] (Mateus 25.46, ARC).

Será que resta alguma dúvida? Fica fácil entender por que esse versículo é um dos maiores problemas para aqueles que defendem a aniquilação do ímpio.

A expressão grega para "tormento eterno" é *kolasis aionios*. *Aionios* também pode significar "ao longo da vida" ou "durável", não somente "eterno". Mas o versículo também usa a expressão *zoe aionios* para "vida eterna". Seria muito arriscado pensar que a mesma

[1] Lucas 15.24, Efésios 2.1, Colossenses 2.13 • [2] Apocalipse 20.10,14

palavra tenha sentidos diferentes na mesma frase e no mesmo contexto.

Além disso, a ideia de "tormento eterno" não está presente apenas em Mateus 25. Ao longo da Bíblia, encontramos expressões como "fogo eterno" (Mateus 18.8, 25.41), "vergonha e desprezo eterno" (Daniel 12.2) , "atormentados dia e noite, para todo o sempre" (Apocalipse 20.10), "reservadas para sempre as mais densas trevas" (Judas 1.13), "onde o seu verme não morre, e o fogo não se apaga" (Marcos 9.44,46,48) e "não há descanso, dia e noite (Apocalipse 14.11)". Com todas essas passagens, fica extremamente difícil defender o inferno como uma punição temporária, tanto para o Diabo e seus anjos[1] quanto para o homem.[2]

Se aqueles que se rebelaram contra Deus apenas deixarem de existir, a maioria não veria incômodo algum. Afinal, viveram em rebelião contra Deus, fizeram sua própria vontade, prejudicaram muitas pessoas e, por fim, só deixariam de existir. Contudo, o lado mais cruel dessa doutrina enganosa está em validar a motivação que leva muitos ao suicídio: deixar de existir.

O inferno e a soberania de Deus

Muitos ainda argumentam que o inferno não poderia ser algo justo se a punição fosse a mesma para todos. Contudo, a Bíblia traz fortes evidências de que o sofrimento será mais intenso para uns e menos intenso para outros,[3] de acordo com o que foi feito em vida.

Frases como "serão punidos com maior rigor" (Lucas 20.47), "serão castigados mais severamente" (Mateus 23.14) e "condenação mais severa" (Marcos 12.40) dão a entender que a condenação será ainda mais rigorosa para dois grupos de pessoas: aqueles que conheceram a verdade, mas não a praticaram;[4] aqueles que tiveram grandes oportunidades de arrependimento, mas, deliberadamente, rejeitaram a salvação.[5] De qualquer forma,

[1] Mateus 25.41 • [2] Apocalipse 20.15 • [3] Apocalipse 20.12,13 • [4] Lucas 12.46-48 • [5] Mateus 11.23,24

podemos estar certos de que o inferno será o destino de todos aqueles que não seguem Cristo nesta vida.[1]

Pode até parecer algo injusto uma condenação eterna por causa de uma breve vida de pecados como a nossa, mas pensar assim é desconsiderar a gravidade do nosso pecado[2] diante da santidade de Deus.[3] Não pecamos contra um ser humano, que também é falho e pecador,[4] mas pecamos contra o Criador do Universo, um ser eterno, onipotente[5] e perfeitamente santo[6]!

Pense em um pai que mente para o filho, provavelmente nada de grave acontecerá a esse pai. Se ele mentir para a esposa, enfrentará problemas no relacionamento. Se mentir para um policial ou para um juiz, pode ser preso. Se mentir para um chefe de Estado, poderá ser acusado de traição à pátria e, dependendo do país, ser condenado à morte. Perceba que as consequências são maiores para autoridades maiores. Seguindo essa linha de raciocínio, qual deveria ser a punição para o que mente para o Criador do Universo, infinito em autoridade?

Por que será que nós, meros seres humanos, relutamos em admitir que Deus, o Senhor do Universo, é livre para fazer o que bem entende?[7] E se Deus decidiu glorificar seu nome trazendo salvação eterna para os arrependidos e decidiu demonstrar seu poder e sua ira contra o pecado com a punição eterna?[8] E se Deus decidiu fazer isso? Deveríamos nos recusar a acreditar nele? Deveríamos recusar a salvação eterna porque "não achamos justo"?[9] [a]

Somos nós quem definimos o que Deus pode fazer ou não?[10] Como pode a criatura questionar o Criador?[11] A própria Bíblia diz: "Não agirá com justiça o Juiz de toda a terra?" (Gênesis 18.25) e também: "retidão e justiça são a base do seu trono" (Salmos 97.2). A verdade é que, se o inferno é algo incompreensível para nós, Deus fez algo ainda mais incompreensível.

[1] João 3.18, João 3.36 • [2] Isaías 59.2, Isaías 53.8 • [3] Salmos 99.9, Isaías 6.3 • [4] Romanos 2.1 • [5] 2Samuel 7.22, Isaías 44.6 • [6] 1João 1.5, Apocalipse 4.8, 1Samuel 2.2 • [7] Romanos 9.20,21 • [8] Romanos 9.22-24 • [9] Romanos 9.14-16, Deuteronômio 32.4, Salmos 9.8 • [10] Jó 42.2, Salmos 115.3 • [11] Romanos 9.20, Jó 40.2

[a] CHAN, Francis; Sprinke, Preston. **Erasing Hell:** What God Said about Eternity, and the Things We've Made Up. Colorado Springs: David C Cook, 2011.

Enviou seu único filho,[1] que deixou sua glória,[2] para nascer e ser educado por seres que ele mesmo criou,[3] para depois ser humilhado, torturado,[4] perfurado com pregos nas mãos e nos pés,[5] ter uma coroa de espinhos cravada na cabeça[6] e ser morto, sem ter culpa alguma.[7] Por que Deus fez isso? A resposta é: por amor![8]

Será que estaríamos dispostos a entregar nosso filho para salvar qualquer pessoa que fosse? Certamente não. Contudo, Deus fez isso, como disse que faria nas inúmeras profecias acerca do Messias que viria. De igual modo, fez e fará tudo aquilo que também está descrito nas Sagradas Escrituras,[9] inclusive nas partes que se referem ao inferno.

O inferno e o amor de Deus

Por que será que Jesus usou palavras tão duras e assustadoras ao se referir ao inferno? A resposta é a mesma: por amor.[10] Jesus conhece profundamente a realidade do inferno e ele mesmo garante:

> *"Quem ouve a minha palavra e crê naquele que me enviou, tem a vida eterna e não será condenado, mas já passou da morte para a vida"* (João 5.24, NVI).

A morte do nosso corpo físico[11] não representa o fim de nossa existência;[12] pelo contrário, representa o início da verdadeira vida,[13] na qual estaremos eternamente com Deus.[14] Não somos, porém, obrigados a viver eternamente com ele. Deus também nos deu a opção de viver eternamente sem ele.[15]

[1] Gálatas 4.4,5 • [2] Filipenses 2.5-7 • [3] Lucas 2.40 • [4] Isaías 53.5,6, Mateus 27.30,31 • [5] Atos 2.23 • [6] Mateus 27.28,29 • [7] 1João 3.5 • [8] João 3.16 • [9] Mateus 5.18 • [10] Provérbios 3.12 • [11] Lucas 12.4 • [12] 1João 5.11 • [13] Colossenses 3.3 • [14] 1João 2.25, 1Tessalonicenses 4.17 • [15] Mateus 7.13,14

Contudo, Deus deixou claro que essa decisão deve ser tomada durante nossa vida aqui na terra.[1] Para isso, ele nos deixou as Escrituras,[2] enviou seu filho, Jesus,[3] e nos concedeu o Espírito Santo.[4] Além disso, dotou-nos de vontade, emoção e intelecto,[5] para que pudéssemos compreender nossa natureza,[6] o mundo em que vivemos[7] e, principalmente, para que o conhecêssemos.[8]

Basta observar que no mundo vivemos experiências boas e ruins;[9] conhecemos o amor, mas também conhecemos a dor e o sofrimento.[10] Mas a verdade é que, se pudéssemos escolher, com certeza ficaríamos somente com o amor. O mais impressionante é que, quando conhecemos Deus, descobrimos que ele não tem amor; ele é amor.[11] O amor é um atributo de Deus. Essa é a razão pela qual viver com Deus é viver no amor,[12] e viver sem Deus é viver na ausência de amor.[13]

A existência do inferno prova que Deus é amor

É por isso que a existência de um lugar de dor e sofrimento eterno[14] é uma prova de que Deus é amor,[15] pois o inferno é exatamente o oposto daquilo que encontramos em Deus.[16] Não podemos esperar nada diferente do inferno descrito pela Bíblia, se optarmos por viver eternamente longe do amor. Se a existência do inferno prova que Deus é amor, o alerta que Deus faz sobre a existência desse lugar[17] e o plano de salvação

[1] Hebreus 9.27 • [2] Lucas 16.29 • [3] João 14.6 • [4] João 16.13 • [5] Jó 38.36 • [6] Romanos 8.5-8 • [7] 1João 5.19 • [8] Provérbios 2.1-6 • [9] João 16.33 • [10] Eclesiastes 3.1-8, Deuteronômio 30.19 • [11] 1João 4.7,8 • [12] 1João 4.16 • [13] Salmos 32.10 • [14] 2Pedro 2.17 • [15] João 3.18-21 • [16] 1João 1.5 • [17] Mateus 25.46

que ele preparou para que o homem não vá para lá provam,[1] de forma definitiva, o seu amor por nós.[2]

A realidade do inferno torna ainda mais magnífico o perdão de Deus estabelecido na cruz, pois revela sua profunda ira contra o pecado[3] e a extraordinária graça da salvação.[4] A eternidade do inferno expõe a gravidade do nosso pecado e revela claramente o imerecido favor de Deus sobre cada um de nós.[5] Mostra que Jesus Cristo escolheu livremente suportar a ira que nós merecíamos,[6] para que pudéssemos ficar longe desse lugar[7] e experimentar vida na presença de Deus.[a] E é exatamente sobre essa boa notícia, sobre esse amor indescritível, que falaremos a partir de agora.

[1] João 3.16,17, 1João 4.9,10 • [2] Romanos 5.8 • [3] Colossenses 3.5,6 • [4] Romanos 5.20,21 • [5] Efésios 2.4,5 • [6] Romanos 5.9, 1Timóteo 2.6, 2Coríntios 1.9 • [7] 1Tessalonicenses 1.10

[a] CHAN, Francis; Sprinke, Preston. **Erasing Hell:** What God Said about Eternity, and the Things We've Made Up. Colorado Springs: David C Cook, 2011

PLANO DE SALVAÇÃO O PLANO DE SALVAÇÃO O PLANO DE SALV
PLANO DE SALVAÇÃO O PLANO DE SALVAÇÃO O PLANO DE SALV
PLANO DE SALVAÇÃO O PLANO DE SALVAÇÃO O PLANO DE SALV
PLANO DE SALVAÇÃO O PLANO DE SALVAÇÃO O PLANO DE SALV
PLANO DE SALVAÇÃO O PLANO DE SALVAÇÃO O PLANO DE SALV
PLANO DE SALVAÇÃO O PLANO DE SALVAÇÃO O PLANO DE SALV
PLANO DE SALVAÇÃO O PLANO DE SALVAÇÃO O PLANO DE SALV

4

Capítulo 4

O PLANO DE SALVAÇÃO

VOCÊ SE LEMBRA daquelas cinco perguntas importantes que mencionei logo no início? 1) "De onde viemos?", 2) "Quem nós somos?", 3) "Como devemos viver?", 4) "Por que estamos aqui?" e 5) "O que acontece após a morte?". Pois bem, por mais importante que seja conhecer a resposta correta para cada uma dessas perguntas, em especial para a quinta, considero ainda mais importante conhecer o que a Bíblia diz sobre uma sexta pergunta: "O que determina o nosso destino eterno?".

O que determina o nosso destino eterno?

É comum imaginar que pessoas boas vão para o céu e que pessoas más vão para o inferno. Isso até parece fazer sentido, mas você já parou para pensar como funcionaria na prática? Que nível de bondade nos levaria para o céu e que nível de maldade nos levaria para o inferno?

A Bíblia diz que é preciso praticar o bem[1] e revela as terríveis consequências da prática do mal,[2] porém

[1] Gálatas 6.9, Mateus 5.16, Efésios 2.10, Tiago 4.17 • [2] Romanos 2.8,9, Gálatas 6.7, Miqueias 7.13

ensina que não são as nossas ações que determinam o nosso destino eterno.[1] Por melhores que sejam nossas atitudes, não existe salvação por conta delas.[2] Por incrível que pareça, essa é uma boa notícia. Para que entendamos melhor o porquê disso, falaremos agora sobre o antagonismo existente entre a vida e a morte.

Por que a morte existe?

Deus é eterno, é a fonte da própria existência e, naturalmente, fonte de vida. Ele nos criou como seres essencialmente espirituais[3] que desfrutavam de plena comunhão com ele. No Éden, Deus deixou claro ao homem que, para não experimentar a morte, era preciso permanecer em sua bondade por meio da obediência.[4] No entanto, no exercício de sua individualidade, o homem decidiu ser independente de Deus.[5] O resultado natural e imediato foi a morte espiritual e, como consequência, a morte física.[6] A morte existe porque o homem pecou, separou-se de Deus[7] e abandonou a única fonte de vida.

A partir da queda, nós, os descendentes de Adão, nascemos maus, pecadores e carentes de redenção.[8] O homem está morto espiritualmente,[9] e qualquer esforço para se aproximar de Deus, mesmo por meio da religião, não resolverá o problema.[10] Não há nada que o ser humano possa fazer para mudar isso,[11] nem por si mesmo nem pelos outros.[12] Nenhum pagamento, promessa ou sacrifício pode reverter sua morte espiritual.

[1] Marcos 8.37 • [2] Efésios 2.8,9, Isaías 64.6 • [3] Gênesis 1.27 • [4] Romanos 6.16 • [5] Romanos 10.3 • [6] Gênesis 2.17, Gênesis 5.4,5 • [7] João 15.5,6, Colossenses 1.21 • [8] Romanos 3.10-12, Isaías 53.6 • [9] Efésios 2.1,2 • [10] Mateus 15.8,9 • [11] Efésios 2.8,9 • [12] Salmos 49.7-9

A provisão divina

Para que houvesse alguma possibilidade de reconciliação entre Deus e os homens, era necessário que a intenção, a ação e a provisão partissem do próprio Deus.[1] E a melhor notícia que o mundo já recebeu é que sim! Deus agiu em favor do homem.

> *Porque Deus amou o mundo de tal maneira que deu o seu Filho unigênito, para que todo o que nele crê não pereça, mas tenha a vida eterna. Porquanto Deus enviou o seu Filho ao mundo, não para que julgasse o mundo, mas para que o mundo fosse salvo por ele* (João 3.16,17, ARA).

A Bíblia claramente se refere a Jesus como Deus: "O Verbo era Deus" (João 1.1), "Deus Unigênito" (João 1.18), "Senhor meu e Deus meu" (João 20.28), "Deus bendito para sempre" (Romanos 9.5), "Nosso Deus" (2Pedro 1.1), "Grande Deus" (Tito 2.13), "Verdadeiro Deus" (1João 5.20) e "Deus forte" (Isaías 9.6).

De acordo com a Bíblia, a nossa salvação é realizada unicamente pela obra mediadora de Jesus Cristo,[2] o Deus Filho que se fez carne e habitou entre nós.[3] Sim, quando falamos em Jesus Cristo, não estamos nos referindo simplesmente a alguém bom, sábio e influente que viveu muitos séculos atrás. Estamos falando do próprio Deus que assumiu a natureza humana.[4]

Sendo Deus, Jesus se fez homem e foi em tudo semelhante a nós,[5] com exceção do pecado.[6] Em sua perfeita natureza humana, Jesus vivenciou sentimentos, emoções e vontades humanas.[7] Ficou cansado, teve fome, sede[8] e esteve sujeito à dor, angústia e morte.[9]

Sendo Deus, Jesus tinha plena ciência de quando deveria ou não recorrer ao seu poder divino e de quando deveria ou não se sujeitar às fraquezas e limitações de sua natureza humana.

[1] 2Coríntios 5.18, Romanos 5.8 • [2] Romanos 10.9, Atos 16.30,31, 1Timóteo 1.15, 1Timóteo 2.5, Hebreus 7.25 • [3] João 1.14 • [4] Colossenses 1.15, Colossenses 2.9, João 1.1, Filipenses 2.5,6 • [5] Hebreus 2.14-18 • [6] João 8.46, Hebreus 4.15 • [7] João 11.35, Hebreus 5.7 • [8] João 4.6, Mateus 4.2, João 19.28 • [9] João 19.1-3, Lucas 12.50, Lucas 23.46

Uma vez que a morte é uma consequência do pecado[1] e Jesus não tinha pecado,[2] sua morte foi substitutiva, ou seja, Jesus tomou o nosso lugar e carregou os nossos pecados na cruz.[3] A injustiça feita a ele tornou-se a nossa justiça.[4] Da mesma forma que Adão era o representante da humanidade quando pecou, Jesus Cristo nos representou diante do Pai quando ofertou sua vida em nosso favor.[5]

Além disso, a natureza divina de Cristo teve um papel essencial na obra de redenção, pois proporcionou um único e eterno sacrifício,[6] dando a possibilidade de redenção a todos os seres humanos, mesmo àqueles que já haviam morrido há muito tempo, como Adão, Abraão e Moisés,[7] e àqueles que nem sequer haviam nascido, como eu e você.[8]

Ainda que a natureza divina de Jesus não tenha morrido de fato, Jesus passou pela experiência de morte como pessoa inteira, e ambas as naturezas, humana e divina, participaram juntas dessa experiência. A Bíblia não nos permite dizer nada mais além disso. (GRUDEM, Wayne. **Teologia sistemática**. São Paulo: Vida Nova, 1999. p. 462.)

Jesus Cristo é o único caminho,[9] o único mediador entre Deus e os homens[10] e o único nome dado entre os homens pelo qual podemos ser salvos.[11] Jesus também foi o único que viveu sem pecado e, tendo morrido sem culpa,[12] ressuscitou fisicamente dentre os mortos.[13] Depois disso, subiu aos céus, assentou-se à direita de Deus Pai e retornará no futuro para julgar a humanidade e estabelecer seu Reino.

Como recebemos a salvação?

Todo o plano de salvação foi preparado por Deus desde a eternidade. Além de prover o sacrifício,[14] Deus também revelou a maldade que há em nós e nos

[1] Romanos 6.23 • [2] 1Pedro 2.22 • [3] 1Pedro 3.18-20 • [4] 2Coríntios 5.21 • [5] Romanos 5.15,18,19 • [6] Hebreus 9.12,28 • [7] Hebreus 9.15, Romanos 4.3 • [8] João 17.20,21 • [9] João 14.6 • [10] 1Timóteo 2.5 • [11] Atos 4.12 • [12] Atos 2.24 • [13] Atos 13.29-31 • [14] Efésios 5.2

deu a fé[1] necessária para crer em Jesus[2] e receber o seu perdão.[3] Por essa razão é que não somos salvos pelo que fazemos,[4] mas pelo que Cristo fez. Nada vem de nós; tudo vem dele.[5] Somos salvos pela sua graça, por meio da fé.

O seu sangue derramado na cruz mostrou o alto preço pago pela nossa vida.[6] O nosso papel é simplesmente entregar a Cristo o que foi comprado por ele.[7] Para fazer essa entrega e receber a salvação, a Bíblia ensina que é preciso confessar com a nossa boca que Jesus é o Senhor e crer no coração que Deus Pai o ressuscitou dentre os mortos.[8] Mesmo que possa parecer que há algum mérito humano nessa confissão, ela é fruto de uma convicção interior proporcionada pela ação do próprio Deus.[9] É o Espírito Santo quem nos conduz ao arrependimento.

Este é o novo nascimento e o início de uma nova vida.[10] É quando Deus, na pessoa do Espírito Santo, passa a habitar em nosso interior.[11]

O perdão de Deus

Neste exato momento, acontece algo maravilhoso: tornamo-nos filhos de Deus e todos os nossos pecados são perdoados,[12] do mais antigo ao mais recente, do mais simples ao mais grave.[13] Já não há culpa ou condenação que paire sobre nós, pois fomos libertos pelo precioso sangue de Cristo e não somos mais escravos do pecado.

[1] Efésios 2.8 • [2] 1Pedro 1.8,9 • [3] Romanos 3.25,26 • [4] Efésios 2.8-10 • [5] Romanos 11.36 • [6] 1Coríntios 6.20 • [7] Lucas 9.24, Tito 2.14 • [8] Romanos 10.9,10 • [9] João 16.13 • [10] João 3.3-6, 2Coríntios 5.17, 1Pedro 1.3,4 • [11] Efésios 1.13, 1Coríntios 6.19, João 14.23, 2Coríntios 6.16 • [12] Romanos 4.7,8, 1João 2.12 • [13] Lucas 7.47

O perdão de Deus inclui até mesmo os pecados que ainda iremos cometer.[1] Contudo, isso não deve ser entendido como uma licença para pecar. Muito pelo contrário! Uma vez que os nossos olhos foram abertos, o pecado se tornou algo ainda mais grave.[2]

Infelizmente, a verdade é que, mesmo após a conversão, não deixaremos de pecar.[3] É preciso, porém, vencer a luta diária contra as vontades da nossa carne, que permanece inclinada ao pecado.[4] Mesmo que o pecado ocorra, o Espírito Santo nos conduzirá ao arrependimento[5] para confessarmos esse pecado diante de Deus, que é fiel e justo para perdoar os nossos pecados e nos purificar de toda injustiça.[6]

A vida eterna

Além dessa libertação, o novo nascimento também representa o início da nossa vida eterna,[7] pois, ainda que venhamos a enfrentar a morte, temos a certeza da ressurreição. Assim, estaremos com o Senhor para sempre. Nada do que possamos experimentar em vida se compara ao que nos aguarda na eternidade.[8] Deus, em sua infinita sabedoria, nos livrou da condenação no inferno[9] e nos preparou um lugar de descanso, alegria e prazer eterno.

Embora essa seja a melhor notícia que alguém possa receber, a verdade é que muitos cristãos não conseguem desfrutar de todos os benefícios dessa

[1] 1João 2.1, Hebreus 10.14,18 • [2] 1João 3.6, Hebreus 10.26, 2Pedro 2.20-22 • [3] 1João 1.8,10 • [4] Hebreus 12.4, 1Pedro 4.1,2 • [5] Romanos 8.11, João 16.8 • [6] 1João 1.9 • [7] João 6.47, 1João 5.11,12, 2Coríntios 5.17 • [8] 2Coríntios 12.4 • [9] Romanos 8.1,2

nova vida.[1] As principais razões para que isso aconteça são a falta de convicção de sua própria salvação e, principalmente, o medo de perdê-la.[2]

Mas será que, depois de tudo o que ouvimos, há motivos para termos esse tipo de medo? Será que, uma vez salvos, ainda corremos o risco de perder a salvação? Trataremos disso no capítulo seguinte.

[1] Salmos 91.1,2, Mateus 11.28 • [2] João 14.27, Filipenses 4.6, Romanos 8.38,39

5

É POSSÍVEL PERDER A SALVAÇÃO?

Capítulo 5

É POSSÍVEL PERDER A SALVAÇÃO?

É SEMPRE IMPORTANTE relembrar que a salvação é pela graça, por meio da fé.[1] Não é pelo bem que fazemos,[2] mas pelo que Jesus Cristo fez por nós, pelo seu sangue derramado em nosso favor.[3]

Contudo, o que vai evidenciar nossa salvação e comprovar que a fé que temos em Cristo é genuína será a nossa obediência.[4] Tal obediência inclui a decisão de abandonar o pecado,[5] a constante transformação de vida,[6] a perseverança diante das adversidades[7] e a prática de boas obras;[8] decisões e atitudes que só serão possíveis se, de fato, o Espírito Santo habitar em nós.[9] E, se o Espírito Santo habita em nós, temos a certeza da salvação e da vida eterna.[10] Mas será que, após recebermos essa nova vida, podemos nos desviar do caminho e perder a nossa salvação?

Antes de mais nada, precisamos deixar claro que o conceito de salvação universal, em que todos serão

[1] Efésios 2.8 • [2] Efésios 2.9, Tito 3.4-6, Romanos 3.20 • [3] Romanos 5.8-11 • [4] Hebreus 5.9, João 14.23 • [5] Hebreus 12.1-4, Romanos 8.5-8 • [6] Romanos 12.2 • [7] Tiago 1.2-4, 1Pedro 1.3-9 • [8] Efésios 2.10, Gálatas 6.9, Tito 2.11-14 • [9] Romanos 8.9-17 • [10] Efésios 1.13,14, 1João 4.13, 2Coríntios 5.5

salvos no final, não é bíblico. De acordo com as Escrituras, muitos serão condenados.[1] Alguns, inclusive, passarão grande parte de sua vida frequentando uma igreja, sem jamais ter experimentado uma conversão verdadeira.[2]

Aquele que nunca foi salvo

Por essa razão, pensando na possibilidade de alguém perder sua salvação, a pergunta é: caso isso aconteça, significa que tal pessoa se desviou da fé ou será que, na verdade, nunca se converteu?

Muitas vezes, a suposta conversão foi motivada pela emoção,[3] não pela fé. Portanto, não houve um verdadeiro arrependimento. Existe uma empolgação com a mensagem do evangelho, mas que ainda está longe de ser um compromisso de vida.[4] Mesmo que sejamos muito próximos de alguém, não temos como conhecer quais são as reais intenções e motivações do seu coração; somente Deus é capaz de fazer isso.[5]

Pode tratar-se de alguém que vive um processo mais lento de transformação,[6] ou de alguém que ainda não se entregou completamente a Deus,[7] ou, em último caso, de alguém que simplesmente se passa por cristão.[8] A questão principal é que uma entrega parcial não é suficiente.[9] Salvação não se resume a frequentar uma igreja, fazer orações ou melhorar as atitudes. É preciso morrer para nossa vida antiga e nascer de novo em Cristo.[10]

[1] Mateus 7.13,14, Mateus 22.13,14, João 3.18-20,36, Apocalipse 20.15, Mateus 25.46 • [2] Mateus 7.21-27 • [3] Mateus 13.20,21 • [4] Mateus 13.22, Mateus 10.37,38 • [5] Jeremias 17.10 • [6] Hebreus 5.11-14 • [7] 1Coríntios 3.1-3 • [8] Mateus 7.15 • [9] Apocalipse 3.15,16 • [10] 2Coríntios 5.14-17, Mateus 16.25, Romanos 6.11

Quando não há arrependimento verdadeiro, a tendência é que continuem os questionamentos sobre a forma de Deus agir,[1] a dificuldade em abandonar o pecado,[2] a satisfação em encontrar defeitos nos outros para se sentir melhor,[3] além da inconstância,[4] da hipocrisia,[5] da religiosidade[6] e, o pior de tudo, da falta de perdão.[7] De fato, não conseguir perdoar é algo que certamente evidencia que uma pessoa nunca foi convertida.[8]

Quando alguém pensa que a ofensa de outra pessoa contra ela foi grande demais para ser perdoada, é porque não entendeu — logo, também ainda não recebeu — o perdão de Deus.[9] Uma pessoa nessa situação pode perder a salvação? Não! Ninguém pode perder algo que nunca teve.[10] Acredite: grande parte das pessoas que hoje estão supostamente desviadas, na verdade, jamais se converteu.[11]

Quando Paulo diz "Aquele, pois, que pensa estar de pé, veja para que não caia", em 1Coríntios 10.12 (ARA), não se trata necessariamente de uma pessoa salva, pois ela "pensa" estar de pé. Da mesma forma, "cair" provavelmente não significa perder a salvação, mas sim o próprio ato de pecar.

Aquele que foi salvo

E quando temos um encontro verdadeiro com Jesus e nos convertemos de fato? Será mesmo que, uma vez salvo, sempre salvo? Ou será que ainda assim podemos perder a salvação por causa do pecado?

Esse é um ponto importante a ser analisado. A Bíblia diz que ninguém deixa de pecar, mesmo depois de convertido,[12] e que isso não nos tira a salvação.[13] Jesus Cristo pagou pelos nossos pecados do passado, do presente e do futuro.[14]

[1] Romanos 9.20, Jó 3.11, Jó 13.24 • [2] Mateus 6.24, 2Reis 17.38-41 • [3] 1Coríntios 13.4-6, Provérbios 24.17,18 • [4] Tiago 1.7,8 • [5] Romanos 2.21,22 • [6] Isaías 29.13 • [7] Marcos 11.25,26 • [8] João 20.23 • [9] Mateus 18.23-35, Lucas 6.37 • [10] Mateus 25.12 • [11] Lucas 13.26-28 • [12] 1João 1.10 • [13] 1João 2.1,2 • [14] 1João 2.12, Hebreus 9.26, Hebreus 10.14,17,18

Quer dizer, então, que um salvo, quando peca, não perde sua salvação? Nem mesmo por um instante, no exato momento do pecado? Não![1] Se fosse assim, estaríamos constantemente perdendo e ganhando nossa salvação, como se fosse um jogo de pingue-pongue. Sem saber o dia da nossa morte ou quando será a volta de Jesus,[2] com certeza seríamos pessoas completamente inseguras. Como pregar um evangelho de salvação[3] quando não se tem certeza da salvação pessoal?

Em 1Coríntios 9.27, quando Paulo diz "Antes, subjugo o meu corpo e o reduzo à servidão, para que, pregando aos outros, eu mesmo não venha de alguma maneira a ficar reprovado" (ARA), ou em Filipenses 3.12, quando diz "Não que já a tenha alcançado [a ressurreição dentre os mortos], ou que seja perfeito; mas prossigo para alcançar aquilo para o que fui também preso por Cristo Jesus" (ARA), o mais provável sentido dessas passagens não é uma preocupação de Paulo em perder a salvação (2Timóteo 4.18), mas em ser desaprovado quanto ao serviço que prestava ao Senhor, em deixar de receber o devido galardão celestial de seu chamado apostólico (1Coríntios 3.11-15). Paulo nos ensina que um cristão deve estar plenamente satisfeito em Cristo, mas nunca se dar por satisfeito com suas realizações espirituais. (WIERSBE, Warren W. **Comentário bíblico expositivo:** Novo Testamento. Santo André: Geográfica Editora, 2006. V. I, p. 787; V. II, p. 115.)

Contudo, é preciso estar bem claro que isso não significa liberdade para pecar sem preocupação nenhuma. Pelo contrário,[4] pecar conhecendo Deus é muito pior do que pecar na ignorância.[5] Afinal, já sabemos que toda a maldade no mundo é fruto do pecado[6] e que foram os nossos pecados que levaram Jesus à cruz.[7]

Pecar de forma deliberada e voluntária é, definitivamente, uma característica daquele que jamais conheceu a Deus,[8] ou então, considerando outro cenário, é o perfil daquele que cometeu apostasia.[9]

A apostasia

Apostasia nada mais é do que alguém abandonar a fé. Alguns defenderão, inclusive com bases bíblicas, a ideia de que, se a pessoa apostatou da fé, é porque, na verdade, jamais foi convertida.[10] Contudo, a Bíblia também

[1] João 1.12,13, 1João 2.1 • [2] Mateus 25.13 • [3] 1Coríntios 15.19, Romanos 13.11 • [4] Romanos 6.1,2 • [5] Hebreus 10.29, 2Pedro 2.21, Hebreus 2.2,3 • [6] Romanos 5.12 • [7] Isaías 53.5,6 • [8] 1João 3.6-9 • [9] 1Timóteo 1.19, 1Timóteo 4.1 • [10] João 10.28,29, Romanos 11.29, Filipenses 1.6, 1Pedro 1.5, 1João 2.19

traz passagens que pressupõem a possibilidade de alguém salvo abandonar Cristo.[1]

Independentemente de qual seja nossa visão sobre o assunto, de uma coisa podemos ter certeza: não há condenação para quem está em Cristo e anda segundo o Espírito,[2] mesmo que ocasionalmente peque.[3] Mas o salário do pecado continua sendo a morte,[4] o que significa que sempre haverá uma consequência ruim para o pecado.[5] E a pior delas é a apostasia.[6]

Um dos sinais de apostasia é quando já não há mais arrependimento pelos pecados.[7] De início, pode até

CALVINISMO E ARMINIANISMO

As respectivas posições fundamentais, tanto do Calvinismo como do Arminianismo, são ensinadas nas Escrituras. O Calvinismo exalta a graça de Deus como a única fonte de salvação — e assim o faz a Bíblia; o Arminianismo acentua a livre vontade e responsabilidade do homem — e assim o faz a Bíblia. A solução prática consiste em evitar os extremos antibíblicos de um e de outro ponto de vista, e em evitar colocar uma ideia em aberto antagonismo com a outra. Quando duas doutrinas bíblicas são colocadas em posição antagônica, uma contra a outra, o resultado é uma reação que conduz ao erro. Por exemplo: a ênfase demasiada à soberania e à graça de Deus na salvação pode conduzir a uma vida descuidada, porque, se a pessoa é ensinada a crer que conduta e atitude nada têm a ver com sua salvação, pode tornar-se negligente. Por outro lado, ênfase demasiada sobre a livre vontade e a responsabilidade do homem, como reação contra o Calvinismo, pode trazer as pessoas sob o jugo do legalismo e despojá-las de toda a confiança de sua salvação. Os dois extremos que devem ser evitados são: a ilegalidade e o legalismo. (PEARLMAN, Myer. **Conhecendo as doutrinas da Bíblia**. São Paulo: Vida, 2009. p. 273.)

Àquele a quem muito é dado, muito lhe será exigido. O cristão de hoje tem uma responsabilidade muito maior de obedecer a Deus do que os santos do Antigo Testamento. Temos a Bíblia completa, temos a revelação plena da graça de Deus e o Espírito Santo habitando dentro de nós para nos ajudar a obedecer a Deus. (WIERSBE, W. W. **Comentário bíblico:** Novo Testamento 2. Santo André: Geográfica, 2009. p. 681.)

[1] Mateus 24.12, Lucas 9.62, 2Timóteo 2.12, Hebreus 6.4-6, Hebreus 10.26,27 • [2] Romanos 8.1,2 • [3] 1João 1.6,7 • [4] Romanos 6.23 • [5] Gálatas 6.7,8 • [6] Hebreus 3.12-14 • [7] 2Coríntios 7.9,10, 2Coríntios 12.21

haver certa tristeza ou remorso, porém sem nenhuma decisão efetiva de abandonar o pecado.[1] Com o passar do tempo, nem mesmo o remorso acontece mais.

Arrependimento é mudança de mente, de atitude; é decisão.[2] Quando essa decisão não acontece,[3] a tendência é se perder cada vez mais a sensibilidade ao Espírito Santo[4] e a noção do que é certo ou errado.[5] Muitas vezes, a pessoa não declara abertamente que abandonou a fé, mas sua vida de pecados demonstra isso.[6] Trata-se de uma pessoa salva? Óbvio que não! Ou ela perdeu a salvação, ou nunca a teve.

Se pensarmos que de fato ela perdeu a salvação, será que ainda existe a possibilidade de recuperá-la? Bom, de acordo com Hebreus 6, a resposta é não! Uma pessoa que negou sua fé em Cristo não poderá mais ser conduzida ao arrependimento.[7] Todavia, não nos cabe julgar em que estado espiritual alguém se encontra.[8] Devemos supor que ainda não houve, por parte dessa pessoa, a compreensão plena do que foi conquistado na cruz.[9]

Mesmo quando pensamos se tratar de alguém que supostamente abandonou a fé, precisamos deixar esse julgamento com Deus[10] e crer que ainda existe a possibilidade de arrependimento e salvação.[11]

Isso não significa que tal pessoa não pecará novamente ou que ficará longe do pecado por mero esforço humano. É preciso pedir ajuda a Deus. Como disse C. S. Lewis, "mesmo após pedirmos ajuda a Deus, poderemos seguir tendo a impressão de que nenhuma ajuda ou menos ajuda do que precisávamos nos foi dada. Porém, não devemos ligar para isso, mas pedir perdão após cada erro e tentar novamente. Muitas vezes a primeira ajuda de Deus não vem na forma da própria virtude, mas na força para continuar lutando, pois, por mais importante que seja evitar o pecado, esse processo de treinamento de hábitos da alma é ainda mais importante. Ele nos cura de nossas ilusões sobre nós mesmos e nos ensina a depender de Deus. Por um lado, aprendemos que não podemos confiar em nós mesmos nem nos nossos melhores momentos; e, por outro, que não precisamos nos desesperar mesmo nas piores situações, pois nossas falhas são perdoadas. A única atitude fatal é a de nos acomodarmos, dando-nos por satisfeitos com menos do que a perfeição". (LEWIS, C.S. **Cristianismo puro e simples**. Rio de Janeiro: Thomas Nelson Brasil, 2017. p. 142-143.)

[1] Mateus 27.3-5 • [2] Lucas 15.18-21, Mateus 16.24, Mateus 18.3 • [3] Lucas 13.5 • [4] 1Tessalonicenses 5.19 • [5] 1Timóteo 4.2-5 • [6] Tito 1.16 • [7] Hebreus 6.4-6 • [8] Romanos 14.10-13 • [9] 1Coríntios 2.14, Atos 28.24-31 • [10] 1Coríntios 4.5 • [11] Lucas 15.24, 2Pedro 3.9, 2Timóteo 2.24-26

Como saber se não perdi minha salvação?

E quanto a nós? Como é possível ter a certeza de que não perdemos nossa salvação?

Se, quando pecamos, existe arrependimento e confissão a Deus,[1] significa que não perdemos a salvação. Se procuramos viver em santidade e ainda existe temor a Deus em nosso coração,[2] também significa que não perdemos a salvação. Se perdoamos nosso próximo[3] e percebemos o fruto do Espírito sendo desenvolvido em nossa vida,[4] mesmo que o pecado tenha acontecido minutos atrás, não perdemos a salvação.[5]

Até mesmo no caso daquilo que a Bíblia considera como o pecado imperdoável, que é a blasfêmia contra o Espírito Santo,[6] entende-se que, se estamos em dúvida quanto ao fato de termos blasfemado ou não, é porque não blasfemamos. A blasfêmia contra o Espírito Santo segue o mesmo princípio da apostasia: não há dúvidas por parte da pessoa.[7] Ela já teve provas incontestáveis da existência de Deus,[8] mas se recusou a obedecer-lhe e rejeitou a salvação.[9]

Blasfemar contra o Espírito Santo não é questionar se algo é de Deus ou não;[10] é atribuir ao Diabo algo que sabemos ser uma ação do Espírito Santo.[11] Por essa razão, torna-se um pecado imperdoável, pois aquele que está sendo injuriado é o único que poderia nos convencer do pecado e nos conduzir ao arrependimento.[12]

[1] 1João 1.9 • [2] Romanos 7.22 • [3] Mateus 6.14,15 • [4] Gálatas 5.22-24, 2Pedro 1.5-8 • [5] 1João 1.8,9 • [6] Mateus 12.31,32, Marcos 3.28,29 • [7] 1Timóteo 4.2 • [8] Romanos 1.18-21 • [9] Lucas 10.16 • [10] 1Tessalonicenses 5.20,21, João 7.24 • [11] Mateus 12.24-28, Marcos 3.22-26 • [12] João 16.7,8

Quem blasfema contra o Espírito Santo se rebela contra Deus,[1] torna-se inimigo do evangelho,[2] difama e calunia o que é santo,[3] chama o bem de mal[4] e procura convencer outros de que a salvação bíblica não passa de ilusão e fantasia.[5] Se alguém faz essas coisas sem preocupação alguma, é porque blasfemou contra o Espírito Santo.[6]

Sendo assim, cada um deve examinar a si mesmo para comprovar se está na fé.[7] Enquanto existir arrependimento,[8] também existirá perdão.[9]

Nada pode nos separar do amor de Deus

Não é na nossa força que vencemos o pecado; é o próprio Deus quem nos livra, nos sustenta, nos protege e nos estabelece em Cristo.[10] O único que poderia nos condenar morreu em nosso favor,[11] ressuscitou dentre os mortos[12] e, neste momento, intercede por nós.[13]

> *Pois estou convencido de que nem morte nem vida, nem anjos nem demônios, nem o presente nem o futuro, nem quaisquer poderes, nem altura nem profundidade, nem qualquer outra coisa na criação será capaz de nos separar do amor de Deus que está em Cristo Jesus, nosso Senhor* (Romanos 8.38,39, NVI).

A ação do Espírito Santo e a certeza da nossa salvação é o que nos mantém longe do pecado, não o medo de perdê-la.

[1] Mateus 12.30 • [2] Romanos 1.29-32 • [3] 2Timóteo 3.1-9, Judas 1.10 • [4] Marcos 3.30 • [5] Mateus 12.36,37 • [6] Gálatas 5.19-21 • [7] 2Coríntios 13.5-8 • [8] Mateus 3.8 • [9] Lucas 24.45-47 • [10] 2Tessalonicenses 2.13, 1Pedro 1.2, Filipenses 1.6, Filipenses 2.13 • [11] Mateus 10.28, Romanos 5.8, Romanos 8.31 • [12] 1Coríntios 15.20 • [13] Hebreus 7.25, 1João 2.1

Seja qual for seu entendimento sobre esse assunto, se é possível ou não perder a salvação, algo é certo: só será condenado ao inferno aquele que não conheceu Jesus Cristo[1] ou aquele que, após conhecê-lo, deliberadamente deixou de segui-lo.[2] Do contrário, podemos afirmar com toda a convicção que estamos salvos,[3] que temos a vida eterna e que habitaremos com Deus por toda a eternidade.[4] E esse, com certeza, deve ser o nosso maior anseio.[5]

Não sei quanto a você, mas o que mais enche meu coração de alegria é pensar que um dia conhecerei face a face o Criador e Senhor do Universo.[6] Será que você consegue imaginar como será esse encontro? E mais: como será nossa vida na eternidade? Eu consigo! Digo isso porque a Bíblia traz informações mais do que suficientes para que a nossa expectativa seja a mais alta possível.[7]

[1] 2Tessalonicenses 1.8,9, 1João 2.4 • [2] 2Pedro 2.20-22 • [3] Efésios 1.13,14 • [4] João 5.24 • [5] Eclesiastes 3.11, Filipenses 1.23 • [6] Apocalipse 1.16-18 • [7] Apocalipse 21.1-4

6

COMO SERÁ A ETERNIDADE?

Capítulo 6

COMO SERÁ A ETERNIDADE?

SERÁ QUE É possível saber como será nossa vida na eternidade? Que informações a Bíblia traz sobre essa realidade futura? Como será o nosso corpo e o nosso entendimento? Como e quais serão nossas atividades, vontades, sentimentos e emoções?

A volta de Cristo

Antes de tudo, é preciso lembrar que a vida eterna começa quando entregamos nossa vida a Jesus Cristo.[1] Contudo, a realidade daquilo que descrevemos como eternidade somente inicia-se com a volta de Cristo e com a nossa ressurreição dentre os mortos.[2]

Sim, a volta de Jesus é literal.[3] Ninguém sabe o dia nem a hora, mas em breve Cristo virá buscar a sua Igreja.[4] Quem estiver vivo terá seu corpo transformado, e quem estiver morto ressuscitará.[5]

Quando falamos da Igreja, não estamos nos referindo a uma instituição religiosa, mas àqueles que entregaram suas vidas a Jesus Cristo.

Importante lembrar que, até que esse dia chegue, jamais seremos capazes de conhecer de forma plena

[1] João 3.15-17, 1João 5.11, João 6.47 • [2] 1Tessalonicenses 4.13-17 • [3] Atos 1.9-11 • [4] Hebreus 9.28, João 14.1-4 • [5] 1Coríntios 15.51,52

como será a eternidade, quer pela nossa limitação intelectual,[1] quer por aquilo que Deus decidiu não nos revelar.[2] Mesmo assim, a Bíblia traz muito mais informações do que normalmente se imagina. Informações que podem mudar completamente nossa visão de mundo[3] e, principalmente, nossas prioridades.[4]

É possível saber como será a eternidade?

Ao longo da vida, seja por influência da cultura, dos filmes, ou, principalmente, da religião, tendemos a colecionar ideias erradas sobre a eternidade.

Na maioria das vezes, imaginamos a eternidade apenas como um lugar de descanso e, consequentemente, sem muita coisa para se fazer. Mas será que esse é o conceito bíblico sobre a eternidade? Será que o homem já conseguiu retratar, pelo menos de forma aproximada, aquilo que nos espera após a morte?

Terceiro céu é uma expressão judaica usada para se referir à presença absoluta de Deus. Embora Paulo faça uso da terceira pessoa para se referir a essa visão, o contexto indica se tratar dele próprio.

A Bíblia relata que Deus deu visões e revelações ao apóstolo Paulo. No capítulo 12 de sua segunda carta aos Coríntios, lemos que ele foi arrebatado ao terceiro céu e ouviu coisas indizíveis, proibidas de se falar ao homem.[5] Isso já demonstra como sonhos, visões ou experiências pessoais com revelações sobre o céu não devem ser a base para aprendermos sobre o assunto.[6] Sem contar que qualquer relato, ideia ou representação feita pelo homem certamente continuará sendo muito inferior ao que a própria Bíblia nos revela sobre a eternidade.

[1] João 3.12,13 • [2] Deuteronômio 29.29 • [3] 1João 2.15-17 • [4] Eclesiastes 2.10,11, 5.15, 12.13, Marcos 8.37 • [5] 2Coríntios 12.1-4 • [6] Colossenses 2.18

A razão pela qual podemos refletir sobre a vida eterna de forma segura é que, por meio de Jesus Cristo, algo que estava oculto aos homens foi revelado.[1] E hoje, pela ação do Espírito Santo, é possível olhar para as Escrituras e compreender essa revelação.[2]

Como seremos na eternidade?

Jesus Cristo não só anunciou o Reino dos céus[3] por meio de profecias e parábolas, como ele mesmo se tornou a maior revelação bíblica sobre a eternidade.[4] Por meio da sua ressurreição,[5] podemos conhecer melhor como será nosso corpo, nosso entendimento e nossos sentimentos no Reino dos céus.[6]

1. *O nosso corpo*

A Bíblia diz que seremos semelhantes a Jesus Cristo[7] e que, assim como ele, teremos nosso corpo glorificado,[8] ou seja, um corpo que não se cansa, não sente dor, não envelhece e não morre.[9]

O corpo glorificado é tão superior ao corpo que temos hoje que a Bíblia ilustra essa diferença dizendo que nosso corpo terrestre seria como uma simples semente, enquanto o corpo celestial seria como uma árvore.[10] Sendo assim, esse novo corpo pode assumir características terrestres, sem ser limitado por elas. Jesus se manifestou de diferentes formas após sua ressurreição,[11] sendo algumas vezes reconhecido[12] e outras vezes não.[13]

[1] Efésios 3.2-5 • [2] 1Coríntios 2.7-12 • [3] Mateus 4.17 • [4] João 17.3, 1João 5.11,12 • [5] Atos 1.3 • [6] Romanos 6.5 • [7] 1João 3.2 • [8] Filipenses 3.20,21 • [9] 1Coríntios 15.48-54 • [10] 1Coríntios 15.35-44 • [11] Marcos 16.12, João 21.12 • [12] Marcos 16.9,10, Lucas 24.30,31, Mateus 28.9,10 • [13] Lucas 24.15,16, João 21.4

Outro aspecto impressionante desse corpo é a forma pela qual ele se desloca de um lugar para o outro. Jesus simplesmente desapareceu da presença de dois discípulos[1] e, pouco tempo depois, apareceu dentro de uma sala que estava com as portas trancadas.[2]

Jesus inclusive pediu que seus discípulos o tocassem e, dessa forma, testemunhassem que não se tratava de um espírito, mas de um ser de carne e osso.[3] Jesus comeu e bebeu com os discípulos depois que ressuscitou dentre os mortos.[4]

Assim como Jesus, teremos um corpo físico que não estará sujeito ao tempo, pois não se desgastará nem envelhecerá; que não estará sujeito à matéria, podendo tanto atravessar uma parede como encostar-se nela; e que não estará sujeito ao espaço, pois terá a possibilidade de se deslocar de um lugar para o outro, de forma instantânea, independentemente da distância. Poderemos comer, andar e respirar, sem necessitar de alimento ou de depender da gravidade e do oxigênio. Dá para imaginar como será ter um corpo assim?[5]

2. O nosso entendimento

O que a Bíblia diz a respeito do nosso nível de conhecimento e consciência na eternidade? Será que reconheceremos uns aos outros?

Apesar de a Bíblia dizer em Isaías que não haverá lembrança nem memória das coisas passadas,[6] o contexto indica que se trata aqui de angústias, tristezas e

[1] Lucas 24.31 • [2] João 20.19,26 • [3] Lucas 24.38,39 • [4] Atos 10.40,41, Lucas 24.42,43 • [5] 1Coríntios 15.47 • [6] Isaías 65.17

sofrimentos,[1] não de tudo que foi construído em nossa memória. Afinal, pelo que a Bíblia ensina e pelo que observamos em Jesus, seremos perfeitos em unidade com Deus,[2] mas continuaremos possuindo uma personalidade e uma identidade própria, tendo plena consciência de quem somos e de quem são as outras pessoas.[3]

O mais impressionante é que a Bíblia afirma que nós conheceremos plenamente como somos plenamente conhecidos,[4] ou seja, conheceremos Deus da mesma forma que Deus nos conhece.[5] Trata-se de um conhecimento insondável, impossível de ser mensurado.[6]

As possibilidades para esse conhecimento são infinitas, pois envolvem algum tipo de acesso ao que Deus conhece. Lembremos que Deus é onisciente, conhece tudo a respeito de tudo, em qualquer tempo, o tempo todo. Entretanto, jamais seremos iguais a Deus em onisciência, pois continuaremos inferiores a ele, como seres criados.

3. *Os nossos sentimentos*

E quanto aos nossos sentimentos? Será que teremos vontades, anseios e emoções na eternidade?

Bem, se a Bíblia descreve o céu como um lugar de prazer e alegria eternos,[7] é evidente que sim. Teremos vontades, anseios e emoções na eternidade. Aliás, se aqui cansamos da rotina e enjoamos das coisas,[8] na eternidade não existirá nada disso. Será como experimentar algo novo e bom a todo momento.[9]

Não há absolutamente nada que possamos vivenciar aqui na terra que seja superior, ou mesmo chegue próximo, ao que iremos experimentar na eternidade.[10] Podemos pensar no maior prazer que já experimentamos na vida, seja pelo dinheiro, seja pelo sexo ou pelas drogas, bem como no tempo que durou essa sensação.

[1] Isaías 65.16 • [2] João 17.22-24 • [3] Mateus 8.11, João 14.1-3, Mateus 26.29 • [4] 1Coríntios 13.12 • [5] Salmos 139.1,2 • [6] 1Coríntios 2.16 • [7] Salmos 16.11, Mateus 25.23, Lucas 15.10 • [8] Provérbios 23.5 • [9] Apocalipse 21.5 • [10] 2Coríntios 12.4

Talvez um dia, um minuto, uma hora? O Reino dos céus é como desfrutar de uma sensação infinitamente superior a todo tempo, por toda a eternidade.[1]

O que faremos na eternidade?

Agora, se existe algo que irá nos surpreender de forma absurda, será aquilo que faremos na eternidade, a começar pelo fato de que a Bíblia descreve um período em que reinaremos com Cristo.[2] Considerando o corpo e o entendimento que teremos, as possibilidades são imensas.

Pensando nisso, será que todos nós iremos desempenhar as mesmas funções, tendo a mesma capacidade e as mesmas responsabilidades? De acordo com a Bíblia, a resposta mais provável é não!

Jesus disse que retribuirá a cada um de acordo com o que fez[3] e que haverá aquele que será considerado grande no Reino dos céus.[4] Também disse que alguns irão assumir responsabilidades maiores do que outros[5] e nos ensinou que boas obras aqui acumulam tesouros na eternidade.[6]

Galardão

A Bíblia nomeia tais tesouros de "galardão".[7] A palavra grega é *misthos*, que pode ser traduzida por "valor pago pelo trabalho", "salário" ou "recompensa". A nossa salvação é pela graça, independentemente das obras,[8] mas o galardão será fruto do nosso trabalho para

[1] Efésios 3.20 • [2] 2Timóteo 2.12, Apocalipse 5.10, Apocalipse 20.4-6 • [3] Apocalipse 22.12 • [4] Mateus 5.19 • [5] Lucas 19.16-19 • [6] Mateus 19.21, Lucas 12.33, Mateus 6.19,20 • [7] Mateus 5.12, 1Coríntios 3.14 • [8] Efésios 2.8,9

o Reino.[1] Seremos recompensados pela realização das obras que Deus preparou para cada um de nós.[2]

O galardão pode tanto estar relacionado ao que Deus irá compartilhar de sua própria natureza quanto a posições de autoridade e responsabilidade sobre aquilo que ele criou e ainda irá criar no Universo.[3] Ao contrário do que se possa pensar, não haverá nenhum sentimento de inveja por aquilo que outros receberão, ou mesmo de tristeza por causa daqueles que não foram salvos.[4] A razão disso é que estaremos plenamente satisfeitos ao perceber que Deus foi perfeitamente justo.[5]

O UNIVERSO

De acordo com a ciência, existem pelo menos 2 trilhões de galáxias no universo, contendo mais estrelas do que grãos de areia no planeta Terra.[1] Você já se perguntou o porquê de um Universo tão imenso se mal conseguimos chegar até a Lua? Talvez a resposta esteja na Eternidade.

([1]FOUNTAIN, Henry. "Two Trillion Galaxies, at the Very Least". *The New York Times*. Consultado em 17 de outubro de 2016

Expectativa *versus* realidade

Apesar de todas essas possibilidades parecerem incríveis e extraordinárias, é preciso que fique muito claro que, ainda assim, estamos imaginando algo infinitamente inferior ao que de fato iremos encontrar na eternidade.[6] Se para as coisas terrenas nossa expectativa é quase sempre maior do que a realidade,[7] na eternidade será o oposto.

A Bíblia diz que "o Reino dos céus é como um tesouro escondido num campo. Certo homem, tendo-o encontrado, escondeu-o de novo e, então, cheio de alegria, foi, vendeu tudo o que tinha e comprou aquele campo" (Mateus 13.44). Será que faz algum sentido continuar vivendo no pecado, sabendo que ele nos mantém longe de tudo isso?[8] Qualquer renúncia, por

[1] 1Coríntios 3.8,11-15 • [2] 2Coríntios 5.10, Efésios 2.10 • [3] Mateus 25.19-21, Lucas 19.16,17, Apocalipse 2.26, Apocalipse 3.21 • [4] Apocalipse 21.4 • [5] Deuteronômio 32.4, 2Pedro 3.13 • [6] Isaías 64.4, Salmos 145.3, Salmos 147.5, Romanos 11.33 • [7] Eclesiastes 2.10,11, Eclesiastes 5.10 • [8] Romanos 6.1,2, Judas 1.21

maior que seja, se torna minúscula quando comparada à grandiosidade do que nos aguarda na eternidade.[1]

[1] Romanos 8.18

Conclusão

QUE ALEGRIA SABER que não falo aqui de uma ficção nem tiro conclusões com base na imaginação humana! Falo de uma revelação que o próprio Deus deixou registrada para toda a humanidade.[1] Nenhum outro meio, nada além da Bíblia, poderia nos dar essa certeza.[2]

Muitos já relataram sonhos, visões e as mais surpreendentes experiências sobrenaturais. São milhares de vídeos, livros e filmes que falam sobre o mundo espiritual. Se não fosse a Bíblia, ficaríamos totalmente confusos,[3] sem jamais saber o que nos aguarda após a morte.

Nossa segurança está no fato de a Bíblia ser um livro divinamente inspirado,[4] a única, perfeita e inerrante Palavra de Deus.[5] Nela, o Autor da Vida nos revelou tudo o que precisamos conhecer sobre ele[6] — tanto para descobrirmos o nosso propósito de vida,[7] como para desenvolvermos um relacionamento pessoal e íntimo com ele.[8]

Só temos condições de conhecer a Deus porque ele decidiu se revelar a nós. Um Criador invisível aos nossos olhos poderia permanecer desconhecido de sua criação se assim o desejasse.

Já parou para pensar como esse conhecimento pode transformar completamente nossa vida?[9]

[1] 2Pedro 1.20,21, 1Pedro 1.10-12, Hebreus 1.1,2, Atos 3.21 • [2] Provérbios 30.5,6, Salmos 119.160, Lucas 16.17, Colossenses 2.8 • [3] Atos 17.11, Provérbios 3.5 • [4] 2Timóteo 3.16,17 • [5] João 17.17, Salmos 18.30, Lucas 21.33 • [6] Deuteronômio 29.29 • [7] Efésios 1.18 • [8] Salmos 42.1,2, Isaías 65.24, João 17.22,23 • [9] 2Coríntios 5.17

Talvez você possa se perguntar: "Por que demorei tanto para enxergar essa verdade? Por que Deus não se revelou a mim já na infância? Isso teria me poupado tanto sofrimento!".

Deus não precisou nem precisa de ninguém para existir ou para qualquer outra coisa. Isso revela como somos importantes para ele, pois além de não sermos fruto do acaso, também não somos fruto de uma necessidade de Deus, mas sim de sua livre e soberana vontade.

A verdade é que Deus cuida de você desde o ventre.[1] Você não é fruto do acaso.[2] É uma pessoa única e especial, criada intencionalmente por ele. Há muito tempo Deus vem se revelando a você.

Lembro-me que, após minha conversão, encontrei um livrinho em uma caixa de coisas antigas. Era o Evangelho de João. Para minha surpresa, quando abri o livro, vi escrito na primeira página: "Esdras José Savioli, 1990".

Naquele momento, percebi como Jesus sempre desejou que eu o conhecesse. Aos 10 anos de idade, tive essa oportunidade, mas jamais li aquele livro. Segui minha vida, alienado de Deus, sofrendo com complexos, tendo uma profunda necessidade de aceitação, mascarando a timidez com álcool e buscando satisfação no sexo e nas drogas.

Enfrentei situações perigosas, envolvi-me em brigas e sofri dois graves acidentes. Só não perdi a vida pela misericórdia de Deus. Hoje sei que, por seu infinito amor, o Senhor me preservou para que eu pudesse encontrá-lo no momento oportuno. Aos 26 anos, Jesus abriu meus olhos para que eu pudesse reconhecê-lo.

Percebi que, em vez de lamentar pelo tempo perdido longe de Deus, eu deveria ser grato pela oportunidade que tenho de dedicar o resto da minha vida para conhecê-lo e torná-lo conhecido.[3]

[1] Salmos 139.13,14 • [2] Jeremias 1.5 • [3] Filipenses 3.13,14

Talvez você tenha tido, assim como eu, inúmeras oportunidades para conhecer a Deus, mas ignorou cada uma delas. É provável que você, ao ler este livro, se sinta feliz por ver tamanha graça de Deus sobre sua vida. Contudo, com o conhecimento, vem a responsabilidade. Tanto eu como você já não podemos alegar ignorância.

Diante disso, cabe a pergunta: o que fazer a partir de agora? Assumir um compromisso com Cristo ou ignorar a verdade?

Será que há em você a disposição necessária para rever seus conceitos e, se preciso, abandonar crenças contrárias à Palavra de Deus? Se a resposta honesta for não, talvez sua busca nunca tenha sido pela verdade. Mas, se a sua resposta for sim, creia que o próprio Deus concederá a você a sabedoria e a força necessárias para abandonar o pecado e permanecer na verdade.[1] Deus chamou você para conhecê-lo, aprender com ele e levar a mensagem dele de reconciliação ao mundo.[2]

Você se lembra dos principais questionamentos da humanidade: De onde viemos? Quem nós somos? Como devemos viver? Por que estamos aqui? O que acontece após a morte? O que determina nosso destino eterno? Agora você sabe onde encontrar todas as respostas!

Minha recomendação é que você não apenas leia novamente este livro, mas também o estude de forma sistemática: leia todas as referências bíblicas e os comentários de estudo. Isso vai proporcionar a você um conhecimento muito mais profundo.

[1] Filipenses 1.6, Filipenses 2.13 • [2] 2Coríntios 5.18-20

Feito isso, compartilhe! Use tudo o que Deus confiou a você: tempo, dinheiro, dons ou habilidades; tanto em atitudes como em palavras,[1] para anunciar ao mundo[2] que a salvação eterna está, única e exclusivamente, em Jesus Cristo.[3]

[1] Colossenses 3.17, 1Coríntios 10.31 • [2] Atos 5.20, Marcos 16.15 • [3] João 14.6, Atos 4.12, 1João 5.20, 1Timóteo 2.5